LE CHATEAU DE MA MERE

GRAFISK FORLAG *Copenhague*

GYLDENDAL NORSK FORLAG *Oslo*

EMC CORP. *St. Paul, Minnesota, U.S.A.*

ERNST KLETT VERLAG *Stuttgart*

ESSELTE STUDIUM *Stockholm*

EDIZIONI SCOLASTICHE MONDADORI *Milan*

BORDAS EDITEUR *Paris*

JOHN MURRAY *Londres*

TAMMI *Helsinki*

ASAHI SHUPPANSHA *Tokyo*

WOLTERS/NOORDHOFF *Groningue*

EDITORIAL MAGISTERIO ESPAÑOL, S.A. *Madrid*

GRAFICA EDITÔRA PRIMOR *Rio de Janeiro*

MARCEL PAGNOL

LE CHATEAU DE MA MERE

Le vocabulaire de ce livre est fondé sur
Börje Schlyter: Centrala Ordförrådet i Franskan
Günter Nickolaus: Grund- und Aufbauwortschatz Französisch
Georges Gougenheim: Dictionnaire Fondamental de la Langue Française

REDACTEUR
Ellis Cruse: *Danemark*

CONSEILLERS
Reidar Kvaal *Norvège*
Otto Weise *Allemagne*
Harry Wijsen *Pays-Bas*
Irene Fekete *Grande-Bretagne*

Couverture: Ib Jørgensen
Illustrations: Oskar Jørgensen

ISBN Danemark 87-429-7750-9

Imprimé au Danemark par
Grafisk Institut A/S, Copenhague
1978[1]

MARCEL PAGNOL
(1896–1974)

est né à Aubagne en 1896. Il vit avec ses parents à Marseille, où son père est instituteur. C'est ici qu'il commence ses études qu'il termine à Montpellier.

Pourvu d'une licence ès-lettres, il commence une carrière de professeur d'anglais, dans le Midi de la France d'abord, puis à Paris.

En 1924, il abandonne la carrière de professeur et devient auteur dramatique. Les œuvres qu'il écrit, tant pour le théâtre que pour le cinéma, le mettent en rapport avec les plus grands comédiens de l'époque.

En 1928, il connaît le succès avec *Topaze*. Puis, il triomphe avec la trilogie *Marius*, *Fanny* et *César* (1929-31), comédies marseillaises pleines de gaîté.

Après la seconde guerre mondiale, Marcel Pagnol est élu à l'Académie Française.

C'est en 1957 qu'il écrit pour la première fois un ouvrage qui n'est destiné ni au théâtre, ni au cinéma, mais à la lecture. C'est *La Gloire de mon Père*, premier volume des souvenirs de son enfance, passée entre Marseille, où il vit avec sa famille, et la Provence, où il passe ses vacances. Ces souvenirs d'enfance sont caractérisés par un lyrisme très fin et un humour exquis. Pagnol ne se limite pas simplement à raconter les épisodes de sa vie d'enfant, il les poétise. A travers tout ce qu'il écrit on sent l'amour qu'il éprouve pour son pays, sa famille et ses amis. Son style est simple et clair. Avec quelques mots il sait créer l'atmosphère propre à chaque situation.

Le Château de ma Mère qui fait suite à *la Gloire de mon Père*, commence alors que Marcel, son petit frère Paul, sa petite sœur et ses parents sont en vacances dans leur maison de Provence avec la tante Rose, l'oncle Jules, et leur bébé, le cousin Pierre.

La veille du jour où commence le livre, le père de Marcel a réussi un coup exceptionnel à la chasse, alors qu'il tenait un fusil pour la première fois de sa vie. Cette glorieuse action fait l'admiration de tout le village, et la fierté de toute la famille, mais Marcel est le plus heureux et le plus fier, car c'est lui qui a trouvé les oiseaux tués par son père, alors qu'on lui avait interdit de suivre la chasse.

perdrix

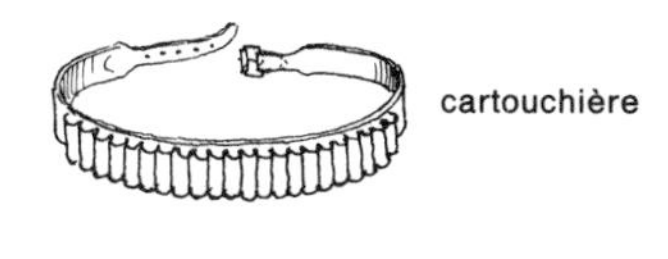

cartouchière

I

Le jour de l'ouverture de la chasse, ma présence secrète avait permis à mon père de réussir un *doublé* «historique» de *perdrix* royales. C'est pourquoi, dès le lendemain, je fus admis au rang des chasseurs, mais en qualité de *rabatteur*, et de *chien rapporteur*.

Tous les matins, vers quatre heures, le *chuchotement* de mon père suffisait à me faire sauter du lit. Je m'habillais dans le noir, en silence, pour ne pas réveiller mon petit frère Paul, et je descendais à la cuisine, où l'oncle Jules faisait chauffer le café pendant que mon père remplissait les *carniers* et que je *garnissais* les *cartouchières*.

---

doublé, se dit quand un chasseur tue deux pièces de gibier (animaux) de deux coups de fusil rapprochés
rabatteur, homme qui, à la chasse, doit faire fuir le gibier en direction des chasseurs
chien rapporteur, chien qui va chercher le gibier tué par un chasseur, et le lui rapporte
chuchotement, paroles prononcées à voix basse
carnier, sac où l'on met le gibier
garnir, ici: remplir

Nous sortions sans faire de bruit. L'oncle Jules refermait la porte à clef et allait mettre la clef sur la fenêtre de la cuisine.

L'*aube* était fraîche, et nous montions tout le long de l'horizon, jusqu'aux pierres rouges de Redouneou. Ensuite les chasseurs descendaient au *vallon :* tantôt à gauche, tantôt à droite.

Quant à moi, je longeais le plateau, à trente ou quarante mètres du bord. Je rabattais sur eux toute chose volante, et quand il m'arrivait de lever un *lièvre*, je courais pour leur faire de grands signaux. Alors ils montaient vite me rejoindre, et nous poursuivions sans pitié le pauvre animal.

Nous rapportions tant de gibier que l'oncle Jules se mit à en vendre, et qu'il en paya – à la grande joie de toute la famille – les quatre-vingts francs du *loyer*.

J'avais ma part dans ce triomphe. Parfois, le soir, à table, mon oncle disait :

– Ce garçon–là vaut mieux qu'un chien. Il court sans arrêt, de l'aube au *crépuscule*. Il ne fait pas le moindre

---

aube, lever du jour
vallon, petite vallée
loyer, ce que l'on paye pour habiter une maison (ou un appartement) louée
crépuscule, *m.*, tombée de la nuit

bruit, et il devine tous les *gîtes!* Aujourd'hui, il nous a lancé une compagnie de perdrix, et cinq ou six *merles*. Il ne lui manque plus que d'*aboyer* . . .

Alors Paul aboyait admirablement, après avoir *craché* sa viande dans son assiette. Pendant que tante Rose le grondait, ma mère me regardait, rêveuse.

Elle se demandait s'il était raisonnable, avec de si petits *mollets*, de faire, chaque jour, tant de pas.

Questions

1. Comment l'enfant, son père et son oncle se préparent – ils à aller à la chasse?

2. Pourquoi l'auteur prend-il un chemin différent de celui des chasseurs?

3. Quels compliments l'oncle Jules fait-il à l'enfant?

---

gîte, lieu où vit le gibier
merle, *m.*, oiseau chanteur, aux plumes noires et au bec jaune
aboyer, bruit que fait un chien
cracher, lancer hors de la bouche
mollet, partie arrière de la jambe, juste au-dessous du genou

buisson

2

Un matin, vers neuf heures, je courais joyeusement sur le plateau. Au fond du vallon, l'oncle se tenait près d'un grand arbre, tandis que mon père se cachait derrière un rideau de fleurs.

Avec un long bâton, je battais les *buissons*, mais les perdrix n'étaient pas là, ni le lièvre. Cependant, je faisais *consciencieusement* mon métier de chien, lorsque je remarquai cinq ou six grosses pierres *entassées* par la main de l'homme. Je m'approchai, et je vis, au pied des pierres, un oiseau mort. Son cou était serré entre les deux pièces de métal d'un *piège*.

L'oiseau était gros, et il était beau à regarder. Je me baissais pour le prendre, lorsqu'une voix fraîche cria derrière moi :

– Hé ! l'ami !

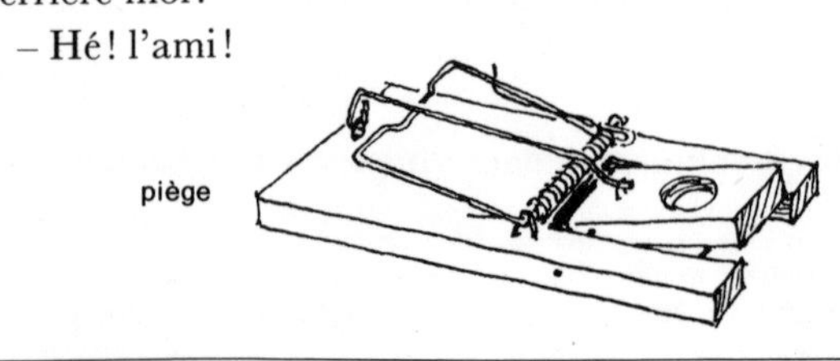
piège

consciencieusement, sérieusement
entasser, placer les uns sur les autres

Je vis un garçon de mon âge qui me regardait sévèrement.

– Il ne faut pas toucher les pièges des autres, dit-il. Un piège, c'est sacré!

– Je n'allais pas le prendre, dis-je. Je voulais voir l'oiseau.

Il s'approcha: c'était un petit paysan. Il était brun, avec un fin visage provençal, des yeux noirs, et de longs *cils* de fille. Il portait, sous un vieux *gilet* de laine grise, une chemise brune à manches longues qu'il avait roulées jusqu'au-dessus des coudes, une *culotte courte*, et des *espadrilles* comme les miennes.

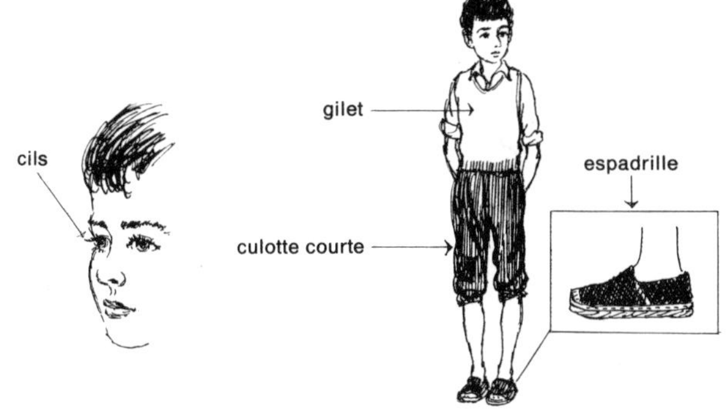

– Quand on trouve un gibier dans un piège, dit-il, on a le droit de le prendre, mais il faut *retendre le piège*, et le remettre à sa place.

Il dégagea l'oiseau, et dit:

– Regarde, comme il est beau! C'est un oiseau très rare.

Il le mit dans sa *musette*, et ensuite il retendit le piège, et il le replaça au pied des pierres.

Très vivement intéressé, je regardai l'opération, et j'en notai tous les détails. Il se releva enfin, et me demanda:

– Qui tu es?

---

retendre le piège, remettre le piège en état de tuer le gibier
musette, sac de toile

Pour me donner confiance, il ajouta :
– Moi, je suis Lili, *des Bellons*.
– Moi aussi, dis-je, je suis des Bellons.
Il se mit à rire :
– Oh ! que non, tu n'es pas des Bellons ! Tu es de la ville. C'est pas toi, Marcel ?
– Oui, dis-je, content. Tu me connais ?
– Je ne t'avais jamais vu, dit-il. Mais c'est mon père qui vous a porté les meubles. Ça fait qu'il m'a parlé de toi. Quel âge tu as ?
– Neuf ans.
– Moi, j'ai huit ans, dit-il. Tu mets des pièges ?
– Non. Je ne saurais pas.
– Si tu veux, je t'apprendrai.
– Oh oui ! dis-je avec enthousiasme.
– Viens, je fais la tournée des miens.
– Je ne peux pas maintenant. Je fais la *battue* pour mon père et mon oncle. Ils sont cachés en bas du vallon. Il faut que je leur envoie les *perdreaux*.
– Les perdreaux, ça ne sera pas aujourd'hui . . . Ce matin, les *bûcherons* sont passés, et ils leur ont fait peur.

Nous commençâmes donc la tournée des pièges, tout en battant les buissons. Soudain, mon nouvel ami s'arrêta, mit un doigt sur sa bouche, puis désigna au loin un buisson.
– Il y a quelque chose qui remue là-dedans. Faisons le tour, et pas de bruit.

Il *s'élança* d'un pas léger et silencieux. Je le suivis. Mais

---

les Bellons, petit village ou plutôt ensemble de maisons
battue, action de battre les champs ou les buissons avec un bâton pour faire fuir le gibier
perdreau, petite perdrix
bûcheron, homme qui coupe ou taille les arbres, dans une forêt
s'élancer, partir à toute vitesse

il me fit signe de faire un cercle plus grand sur la gauche. Il marchait sans se presser, tandis que je courus pour exécuter la manœuvre d'encerclement.

A dix pas, il lança une pierre, et sauta en l'air plusieurs fois, les bras écartés, en poussant des cris sauvages. Je l'imitai. Tout à coup, il s'élança: je vis sortir du buisson un lièvre énorme, et je réussis à couper sa route. Nous le vîmes descendre tout droit et courir sous les buissons du vallon. Nous attendîmes le cœur battant. Deux *détonations* retentirent coup sur coup. Puis deux autres.

– *Le douze* a tiré le second, dit Lili. On va les aider à trouver le lièvre.

Lili descendit, avec la facilité d'un *singe*.

– Ça a l'air d'un mauvais passage, dit-il. Mais c'est aussi bon qu'un escalier.

Je le suivis. Il parut admirer mon *agilité*.

– Pour quelqu'un de la ville, dit-il, tu *te débrouilles* bien.

Au bas des rochers, nous prîmes le pas de course sur la pente.

Dans le vallon, mon père et l'oncle regardaient le lièvre étendu. Ils se tournèrent vers nous, assez fiers.

Je demandai, un peu *timidement*:

– Qui l'a tué?

– Tous les deux, dit l'oncle. Je l'ai touché deux fois, mais il courait toujours, et il a fallu les deux coups de ton père pour qu'il reste sur place . . . Ces bêtes-là, ça porte facilement le coup de fusil.

---

détonation, bruit que fait le tonnerre, ou un coup de fusil
le douze, le fusil de calibre douze
singe, animal sauvage, qui ressemble un peu à l'homme
agilité, f., adresse et souplesse à se glisser dans des endroits difficiles
se débrouiller, se tirer d'affaire
timidement, sans assurance

Il le dit comme s'il s'agissait de porter un chapeau.

Il regarda ensuite mon nouvel ami:

– Ha ha! nous avons de la compagnie!

– Je le connais, dit mon père. Tu es bien le fils de François?

– Oui, dit Lili. Vous m'avez vu à la maison, pour *Pâques*.

– Et il paraît que tu es un *fameux* chasseur. C'est ton père qui me l'a dit.

– Oh! dit Lili en rougissant. Je mets des pièges pour les oiseaux . . .

– Tu en prends beaucoup?

Il regarda d'abord autour de nous d'un rapide coup d'œil, puis il vida sa musette sur l'herbe, et je fus confus d'admiration: il y avait une trentaine d'oiseaux.

– Tu sais, ce n'est pas bien difficile, me dit-il. Le tout, c'est d'avoir des *aludes*, et je sais où les trouver. Si tu es libre, demain matin, nous irons en chercher, parce qu'il ne m'en reste pas beaucoup.

L'oncle examinait le *tableau de chasse* du petit paysan.

– Ho ho! dit-il en le menaçant amicalement du doigt. Tu es donc un vrai *braconnier?*

Il répondit d'un air surpris:

– Moi? Je suis des Bellons!

Mon père lui demanda le sens de cette réponse.

– Ça veut dire que ces *collines* appartiennent aux gens d'ici. Ça fait qu'on n'est pas des braconniers!

Pâques, fête chrétienne du printemps
fameux, ici : très bon
alude, petit insecte qui attire les oiseaux
tableau de chasse, tout le gibier qu'on a tué
braconnier, quelqu'un qui chasse sans en avoir le droit
colline, petite élévation de terrain

Son point de vue était fort simple : tous les braconniers de *la Treille* étaient des chasseurs, tandis que les chasseurs de la ville étaient des braconniers.

Nous déjeunâmes sur l'herbe. La conversation de Lili nous intéressa vivement, car il connaissait chaque vallon, chaque *ravin*, chaque sentier, chaque pierre de ces collines. De plus, il savait les heures et les *mœurs* du gibier. Mais sur ce chapitre, il ne fit que répondre aux questions de l'oncle Jules, parfois d'une manière assez *évasive* et avec un petit sourire.

Mon père dit :

– Ce qui manque le plus dans ce *pays*, ce sont les sources. A part le Puits du Mûrier, est-ce qu'il y en a d'autres ?

– Bien sûr ! dit Lili. Mais il n'ajouta rien.

– Il y a celle de la grotte de Passe-Temps, dit l'oncle. Elle est marquée sur la carte.

– Il y a aussi celle des Escaouprès, dit Lili. C'est là que mon père fait boire ses *chèvres*.

– C'est celle que nous avons vue l'autre jour, dit l'oncle.

---

la Treille, village d'où dépendent les maisons comme les Bellons
ravin, vallée très profonde et très étroite
mœurs, façon de vivre, habitudes
évasif, sans précision
pays, ici : région

– Il y en a certainement d'autres, dit mon père. Il est impossible que, dans un *massif* aussi vaste, les eaux de la pluie n'apparaissent pas quelque part.

– Il ne pleut peut-être pas assez, dit l'oncle Jules.

– Vous vous trompez, s'écria mon instituteur de père. Il tombe à Paris 0 m 45 de pluie par an. Ici, il en tombe 0 m 60!

Je regardai Lili avec fierté, et je fis un petit clin d'œil qui *soulignait* le *savoir* de mon père. Mais il ne parut pas comprendre la valeur de ce qui venait d'être dit.

Questions

1. Dans leur façon de faire connaissance, qu'est-ce qui montre que Lili et Marcel sont des enfants?

2. Quelle différence y-a-t-il entre le petit paysan et le garçon de la ville?

3. Pourquoi Lili ne répond-il pas aux questions sur les sources?

4. Comment expliquez-vous la fierté de Marcel devant le savoir de son père?

---

massif, ensemble de collines ou de montagnes
souligner, faire remarquer avec insistance
savoir, *m.*, ensemble des connaissances d'une personne

3

Avec l'amitié de Lili, une nouvelle vie commença pour moi. Après le café au lait du matin, quand je sortais à l'aube avec les chasseurs, nous le trouvions assis par terre, sous le *figuier*, déjà très occupé à la préparation de ses pièges.

Il en possédait trois douzaines, et mon père m'en avait acheté vingt-quatre au bazar, qui les vendait sous le nom de «pièges à rats». Ces pièges à rats, qui étaient très petits, se révélèrent très *efficaces:* ils sautaient au cou de l'oiseau avec une telle force que même un gros merle n'y échappait pas.

Tout en rabattant le gibier vers nos chasseurs, nous plaçions nos pièges sur le sol. Ensuite, il fallait attendre jusqu'à cinq ou six heures, pour laisser à nos pièges le temps de travailler. Nous *bavardions* alors, à voix basse, pendant des heures.

Lili savait tout: le temps qu'il ferait, les sources cachées, les ravins où l'on trouve des champignons et des salades sauvages. En échange, je lui racontais la ville: les magasins où l'on trouve de tout, les expositions de jouets à Noël, le parc d'attractions où j'étais monté sur les *montagnes russes:* j'imitais le roulement des roues sur *les rails*, les cris des passagères, et Lili criait avec moi . . .

D'autre part, j'avais constaté que dans son ignorance, il

---

figuier, arbre du climat méditerranéen. Son fruit se mange frais ou sec
efficace, ici : utile malgré sa petite taille
bavarder, parler de tout et de rien
montagnes russes, suite de montées et de descentes rapides parcourues par de petits trains dans une kermesse, une foire
rail, ce qui constitue la voie ferrée

me considérait comme un *savant*, et je m'efforçai de justifier cette opinion – si opposée à celle de mon père – en faisant des calculs rapides sans papier ni crayon, mais les ayant soigneusement préparés d'avance. C'est d'ailleurs grâce à lui que j'ai appris la table de multiplication jusqu'à treize fois treize.

Je n'avais jamais été si heureux de ma vie, mais parfois le *remords* me suivait dans la colline: j'avais abandonné le petit Paul. Il ne se plaignait pas, mais je le plaignais, en imaginant sa solitude. C'est pourquoi je décidai un jour de l'emmener avec nous.

Le matin, vers six heures, nous emmenâmes Paul, encore mal réveillé, mais assez joyeux de l'aventure, et il marcha bravement entre nous.

En arrivant au Petit-Œil, nous trouvâmes, pris au premier piège, un *pinson*. Paul le dégagea aussitôt, le regarda un instant, et se mit à pleurer, en criant:

– Il est mort! il est mort!

– Mais bien sûr, dit Lili. Les pièges, ça les tue!

– Je ne veux pas, je ne veux pas! il faut le *démourir!*

Alors le petit Paul ramassa des pierres, et se mit à nous les lancer dans un tel état de rage que je dus le prendre dans mes bras, et le ramener à la maison.

Je dis à ma mère le regret que j'avais de l'abandonner.

– Ne t'inquiète pas pour lui, me dit-elle. Il adore sa petite sœur, et il a beaucoup de patience avec elle. Il s'en occupe toute la journée. N'est-ce pas, Paul?

---

savant, quelqu'un qui sait beaucoup de choses
remords, mauvaise conscience, sentiment qu'on éprouve quand on a fait qc de mal
pinson, joli petit oiseau chanteur aux plumes rouges et noires
démourir, mot inventé par l'enfant pour dire : faire revivre

– Oh! oui, maman!

Il s'en occupait, en effet.

Dans les fins cheveux frisés, il accrochait une poignée de *cigales*, et les insectes prisonniers *bourdonnaient* autour de la tête de l'enfant, qui riait, pâle de peur; ou bien, il l'installait, à deux mètres du sol, dans un arbre, et faisait semblant de l'abandonner à son triste sort. Un jour, comme elle avait peur de descendre, elle grimpa jusqu'aux plus hautes branches, et ma mère, *affolée*, vit de loin ce petit visage au-dessus du *feuillage*. Elle courut chercher l'*échelle* double, et réussit à l'attraper, avec l'aide de la tante Rose. Paul affirma «qu'elle lui avait échappé», et la petite sœur fut désormais considérée comme un singe capable des pires *escalades*.

Il la calmait en lui faisant manger une *pastille de «réglisse»*

---

cigale, insecte qu'on trouve dans le Sud de la France et qui fait un bruit caractéristique pendant l'été
bourdonner, faire entendre un bruit sourd et continu
affoler, rendre comme fou (folle), faire très peur à qn
feuillage, ensemble des feuilles d'un arbre
escalade, se dit en général lorsque l'on grimpe en montagne dans des lieux difficiles
pastille de réglisse, sorte de petit bonbon noir et mou au goût très fort

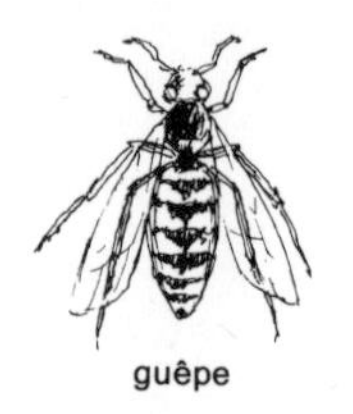

qui ne sortait pas d'une pharmacie, mais d'un *lapin.* Il me confia ceci le soir même, car il craignait de l'avoir *empoisonnée.*

Mais, les crimes ne restent jamais ignorés, si bien qu'un soir, après la chasse, je le trouvai dans notre chambre, pleurant sur son lit.

Il avait, en ce jour *fatal,* inventé un nouveau jeu dont les règles étaient très simples . . . Il *pinçait* fortement le derrière de la petite sœur qui poussait aussitôt des cris perçants. Ensuite, il courait, comme un fou, vers la maison, en criant:

– Maman! Viens vite! Une *guêpe* a piqué la petite sœur!

Maman accourut deux fois avec du coton et de l'ammoniaque, et chercha à faire sortir, entre deux ongles, un *aiguillon* qui n'existait pas, ce qui redoubla les cris de la petite sœur, pour la plus grande joie du sensible Paul.

Mais il commit la grande erreur de renouveler une fois de trop sa *plaisanterie.*

Ma mère, qui avait eu des doutes, le prit sur le fait: il reçut une *gifle* énorme qu'il accepta sans bouger. Mais le

---

empoisonner, donner à qn qc à boire ou à manger qui est très mauvais pour la santé et peut même causer la mort
fatal, marqué par le destin; ici : malheureux
pincer, serrer très fort avec le bout des doigts
aiguillon, petite aiguille; ici : la partie du corps de la guêpe qui lui sert à piquer, et qui reste dans la blessure
plaisanterie, parole ou action destinée à faire rire, à amuser
gifle, coup donné avec la main ouverte sur la joue

remords qui suivit lui brisa le cœur, et à sept heures du soir, il était encore inconsolable. A table, il *se priva* lui-même de dessert, chose qui ne lui était jamais arrivée.

Ayant ainsi appris qu'il ne s'ennuyait pas une seconde, je le laissai à ses jeux criminels.

Questions

1. Pourquoi les pièges sont-ils vendus comme «pièges à rats»?

2. Pourquoi Marcel apprend-t-il, grâce à Lili, la table de multiplication?

3. Pourquoi Marcel et Lili emmènent-ils Paul avec eux?

4. Que pensez-vous des jeux inventés par Paul pour sa petite sœur?

5. Quel sens donne l'auteur aux termes «sensible Paul»?

---

se priver, renoncer à qc volontairement

4

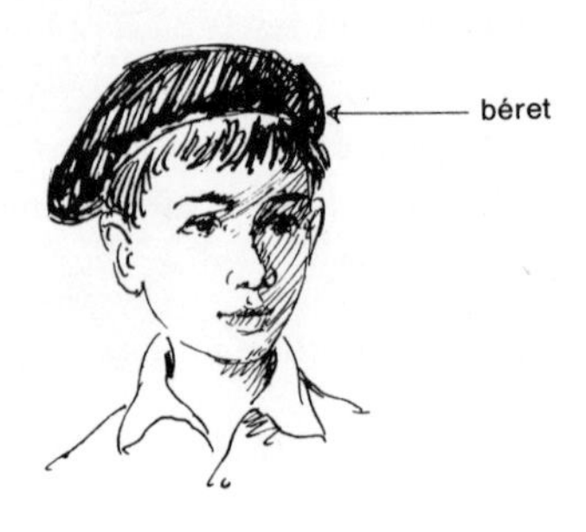

Un matin, nous partîmes sous un ciel bas. Mon père m'avait forcé à mettre, sur ma chemise, un *blouson* à manches, et sur ma tête, une casquette.

Lili, lui, arriva sous un *béret*.

L'oncle regarda le ciel, et déclara:

– Il ne *pleuvra* pas, et ce temps est parfait pour la chasse!

Lili me fit un clin d'œil, et me dit à voix basse:

– S'il fallait qu'il boive tout ce qui va tomber, il pisserait jusqu'à la Noël!

Cette expression me parut admirable.

La matinée se passa comme à l'ordinaire, mais vers dix heures, une *ondée* nous surprit. Elle dura une dizaine de minutes que nous passâmes sous un grand arbre. Il n'y eut pas de *coup de tonnerre*, et nous pûmes bientôt gagner la grotte de Sourne, où nous déjeunâmes.

Nous avions tendu en chemin une cinquantaine de pièges, et les chasseurs avaient tué quatre lapins et six perdrix.

---

blouson, veste courte
pleuvoir, tomber de l'eau du ciel
ondée, grosse pluie soudaine qui ne dure pas
coup de tonnerre, grand bruit dans le ciel, produit par l'orage

Le temps s'était éclairci, et l'oncle affirma:

– Le ciel est clair. C'est fini.

Lili, encore une fois, me fit un clin d'œil, mais ne répéta pas la belle phrase.

Après avoir battu en vain le vallon du Jardinier, les hommes nous quittèrent et prirent la route de Passe-Temps pendant que nous remontions vers nos terrains de chasse.

Tout en montant le long des rochers, Lili me dit:

– Nous ne sommes pas pressés. Plus les pièges restent, mieux ça vaut.

Nous allâmes nous étendre, les mains sous la nuque, au pied d'un vieil arbre.

– Je ne serais pas étonné, dit-il, si nous prenons quelques *grives* ce soir, parce qu'aujourd'hui, c'est l'automne.

Je fus *stupéfait.*

Le climat de mon pays de Provence fait que c'est en silence, au fond des vallons, que l'automne se glisse. Ainsi, les jours des vacances, toujours semblables à eux-mêmes, ne faisaient pas avancer le temps, et l'été déja mort n'avait pas une *ride.*

Je regardai autour de moi, sans rien comprendre.

– Qui t'a dit que c'est l'automne?

– Dans quatre jours, c'est la Saint Michel, et les grives vont arriver. Ce n'est pas encore le grand *passage*, parce que le grand passage, c'est la semaine prochaine, au mois d'octobre . . .

---

grive, f., petit oiseau gris qui ressemble au merle et qui est très bon à manger
stupéfait, fortement surpris
ride, pli de la peau qui marque le début de la vieillesse
passage, se dit d'une période de l'automne ou du printemps, pendant laquelle les oiseaux migrateurs se déplacent vers le sud ou vers le nord

Le dernier mot me serra le cœur. Octobre! *LA RENTRÉE DES CLASSES!*

Je refusai d'y penser, je repoussai de toutes mes forces la douloureuse idée. J'y réussis d'autant mieux qu'un bruit de tonnerre lointain arrêta subitement la conversation.

– Ça y est, dit Lili. Tu vas voir dans une heure! C'est encore loin, mais ça vient!

A cet instant même, un coup de tonnerre – déjà un peu plus rapproché – fit trembler le paysage. Lili se tourna vers moi.

– N'aie pas peur. Nous avons le temps.

Mais il *pressa le pas*.

A cinquante mètres de nous, s'ouvrait dans le *rocher* une *crevasse* triangulaire qui n'avait pas un mètre de large. Nous y entrâmes.

Rassemblant quelques pierres plates, Lili installa, dans la grotte, une sorte de banc face au paysage. Puis, il mit ses mains en *portevoix* et cria vers les nuages:

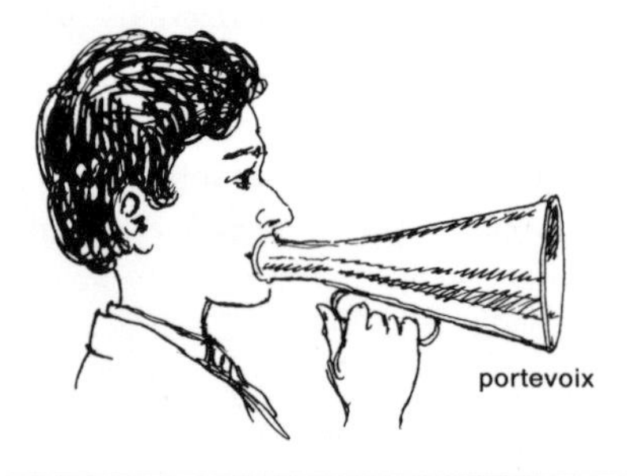

---

rentrée des classes, le moment où les élèves reprennent l'école après les vacances d'été
presser le pas, se mettre à marcher plus vite
rocher, bloc de matière minérale dure
crevasse, trou long et profond

éclair

– Maintenent, ça peut commencer !

Nous ne bougions pas, nous ne parlions pas. Un oiseau fit entendre un cri perçant, prolongé comme un appel ; devant moi, sur le rocher gris, les premières gouttes tombèrent.

Tout à coup, un *éclair* rapide creva les nuages. Lili éclata de rire : je vis qu'il était pâle, et je sentis que je l'étais aussi, mais nous respirions déjà plus librement. La pluie cachait maintenant tout le paysage, et il faisait froid.

– Je me demande, dis-je, où est mon père.

– Ils ont dû arriver à la grotte de Passe-Temps, ou à celle de Zive.

Il réfléchit quelques secondes, et dit soudain :

– Si tu me jures de ne jamais en parler à personne, je vais te montrer quelque chose. Mais il faut que tu jures croix de bois, croix de fer.

C'était un *serment* qui n'était exigé que dans les grandes

---

serment, promesse solennelle

occasions. Je vis que Lili avait pris un air grave, et qu'il attendait. Je me levai, j'étendis la main droite, et au bruit de la pluie je prononçai d'une voix claire la formule:

CROIX DE BOIS, CROIX DE FER,
SI JE MENS, JE VAIS EN *ENFER*.

Après dix secondes de silence – qui donnèrent toute sa valeur à la cérémonie – il se leva.

– Bon, dit-il. Maintenant, viens. On va aller de l'autre côté.

– Quel côté?

– Cette grotte, ça traverse. C'est un passage sous le *Taoumé*.

– Tu y es déjà passé?

– Souvent.

– Tu ne me l'avais jamais dit.

– Parce que c'est un grand secret. Il n'y en a que trois qui le savent: mon frère Baptistin, mon père, et moi. Avec toi, ça fait quatre.

Au fond de la grotte, la crevasse devenait plus étroite, et elle partait sur la gauche. Lili s'y glissa, l'épaule en avant.

– N'aie pas peur. Après, c'est plus large.

Je le suivis.

Le passage montait, puis redescendait, puis s'en allait à droite, puis à gauche. On n'entendait plus la pluie, mais les coups de tonnerre faisaient trembler le rocher autour de nous.

Au dernier tournant, une lumière parut: le tunnel nous avait emmenés de l'autre côté.

La cave où nous étions maintenant était plus large que la première. La pluie tombait avec rage et, tout à coup, les

---

enfer, royaume du diable
Taoumé, nom d'une colline

éclairs se suivirent sans arrêt: chaque coup de tonnerre ne faisait que *renforcer* la fin du précédent, dont le début nous revenait déjà par les échos.

Nous étions parfaitement à l'abri, et nous luttions contre les forces de l'orage, lorsque la *foudre* frappa tout près de nous et fit tomber toute une partie de rocher.

Cette fois-ci, je tremblai de peur, et je *reculai* vers le fond de la cave.

– C'est beau! me dit Lili.

Mais je vis bien qu'il n'était pas rassuré.

– Est-ce que ça va durer longtemps?

– Peut-être une heure, dit-il, mais pas plus. Ce qui est malheureux, c'est qu'on va perdre une douzaine de pièges . . . Et les autres, il va falloir les faire sécher près du feu, parce que . . .

Il s'arrêta net, et regarda fixement derrière moi. Du bout des lèvres, il murmura :

– Baisse-toi doucement, et ramasse deux grosses pierres!

Soudain terrorisé, et rentrant la tête dans mes épaules, je restai immobile. Mais je le vis se baisser lentement, les yeux toujours fixés sur quelque chose qui se trouvait derrière moi et plus haut que moi . . . Je me baissai à mon tour, lentement . . . Il avait pris deux pierres aussi grosses que mon poing : je fis de même.

– Tourne-toi doucement, chuchota-t-il.

Je fis tourner ma tête, et je vis, là-haut, briller dans l'ombre, deux yeux *phosphorescents*.

Je dis dans un souffle :

---

renforcer, rendre plus fort
foudre, feu qui, dans un orage, tombe sur la terre et peut causer des accidents
reculer, aller en arrière
phosphorescent, qui brille dans le noir

nid

– C'est un vampire?

– Non. C'est le *grand-duc*.

En regardant de toutes mes forces, je finis par distinguer la forme d'un oiseau énorme. Assis en haut du rocher, il mesurait au moins deux pieds. Les eaux l'avaient chassé de son *nid* qui devait être quelque part plus haut.

– S'il nous attaque, attention aux yeux! chuchota Lili.

Je fus soudain pris de panique.

– Partons! dis-je, il vaut mieux être mouillé qu'*aveugle*.

Je sautai dans la *brume*. Il me suivit.

J'avais pensé que notre connaissance des lieux serait suffisante pour nous guider par la vue d'un seul arbre, d'un seul bloc de rocher, d'un seul buisson. Mais la brume n'était pas seulement un rideau qui efface les formes, elle les transformait.

Par bonheur, le ciel se calmait peu à peu. Lili passa devant moi. Les yeux à terre, il trouva le sentier que la pluie et l'orage avaient presque effacé. Il s'élança, les coudes au corps, et je le suivis, ayant peur de perdre de vue la petite silhouette dansante dans la brume.

Mais après dix minutes de course, il s'arrêta brusquement, et se tourna vers moi.

– Je me demande, dit-il, je me demande . . .

Je me rendis compte, moi aussi, que nous avions perdu notre chemin depuis longtemps.

Soudain, mes pieds reconnurent une série de pierres rondes qui roulèrent sous mes souliers. Alors, je sortis du sentier sur ma droite, et je crus distinguer une masse sombre. J'avançai, les mains en avant, et enfin je saisis

---

grand-duc, espèce de hibou : oiseau, aux gros yeux ronds, qui vit la nuit
aveugle, qui ne peut pas voir
brume, sorte de pluie fine qui empêche de voir

les feuilles d'un figuier, de notre figuier, pas loin de la maison.

Nous étions sauvés. La pluie le comprit : elle s'arrêta.

Questions

1. Pourquoi Marcel a-t-il le cœur serré en apprenant que l'automne arrive?

2. Quels sont les sentiments des enfants au début de l'orage?

3. Pourquoi Lili exige-t-il de Marcel un serment solennel avant de lui montrer le passage sous la colline?

4. Pourquoi les enfants ont-ils peur du grand-duc?

5. Pourquoi les enfants se perdent-ils sur le chemin du retour?

5

Nous arrivâmes, comme toujours, sur le derrière de la maison.

Un grand feu bourdonnait dans la cheminée et mon père et mon oncle, en *pantoufles* et *robes de chambres*, bavardaient avec François, le père de Lili, tandis que leurs costumes de chasse, sur les épaules de plusieurs chaises, séchaient devant les flammes.

– Tu vois bien qu'ils ne sont pas perdus ! s'écria joyeusement mon père.

Ma mère toucha mon blouson, puis celui de Lili, et poussa un cri.

– Ils sont *trempés !* Trempés comme s'ils étaient tombés à la mer !

En deux secondes, nous fûmes nus devant le feu. Lili fut rhabillé avec mon vieux costume à col marin, pendant que j'étais enveloppé – plutôt que vêtu – dans un tricot de mon père qui me descendait jusqu'aux genoux, tandis que des bas de laine de ma mère me montaient jusqu'aux hanches.

---

trempé, tout à fait mouillé

On nous installa ensuite devant le feu, et je racontai notre aventure. Le point culminant fut l'attaque du grand-duc, que je ne pouvais évidemment pas laisser immobile contre le rocher : il s'élança donc sur nous, les yeux en feu, les ailes en avant. Tandis que je battais des ailes, Lili poussa les cris perçants du monstre.

La tante Rose écoutait la bouche ouverte, ma mère secouait la tête, et le petit Paul protégeait ses yeux avec ses deux mains. Notre succès fut si complet que j'eus peur moi-même, et que bien souvent dans mes rêves – même quelques années plus tard – cette bête agressive est revenue me crever les yeux.

Plus tard, François partit, emmenant Lili qui garda mon vieux costume pour l'admiration de sa mère.

A table, je mangeais de grand appétit, lorsque l'oncle Jules dit une phrase toute simple, à laquelle je ne fis d'abord aucune attention.

– Je pense, dit-il, que nos paquets ne seront pas une bien lourde charge sur la *charrette* de François. Il sera donc possible d'y installer Rose, le bébé, Augustine, et la petite. Et même peut-être Paul. Qu'est-ce que tu en dis, petit Paul?

Mais le petit Paul n'en put rien dire : je vis sa lèvre inférieure s'allonger, et je connaissais bien ce signe. Comme d'ordinaire, ce symptôme fut suivi de deux grosses larmes qui *jaillirent* de ses yeux bleus.

– Qu'est-ce qu'il a? demanda l'oncle Jules.

Ma mère le prit aussitôt sur ses genoux pour le consoler, mais il se mit à pleurer.

---

charrette, petite voiture, à deux roues, souvent tirée par un cheval ou un âne
jaillir, sortir brusquement

– Mais voyons, grosse bête, disait ma mère, tu sais bien que ça ne pouvait pas durer toujours! Et puis, nous reviendrons bientôt . . . Ce n'est pas bien loin, la Noël!

Je *pressentis* un malheur.

– Qu'est-ce qu'elle dit?

– Elle dit, répondit l'oncle, que les vacances sont finies!

– C'est fini quand?

– Voyons, dit ma mère, ce n'est pas une surprise. On en parle depuis huit jours!

C'est vrai qu'ils en avaient parlé, mais je n'avais pas voulu entendre.

– J'espère que tu ne vas pas pleurer! dit mon père.

Je l'espérais aussi, et je fis un grand effort; mon chagrin devint une révolte : je contre-attaquai.

– Après tout, dis-je, tout ça, c'est votre affaire. Mais moi, ce qui m'inquiète le plus, c'est que maman ne pourra jamais redescendre à pied jusqu'à l'omnibus.

– Puisque c'est là ton grand souci, dit mon père, je vais te tranquilliser tout de suite. Dimanche matin, comme l'oncle Jules vient de le dire, les femmes et les enfants monteront sur la charrette de François, qui les déposera au départ de l'omnibus.

– Et les figues? dis-je brusquement.

– Quelles figues?

– Celles de la terrasse. Il en reste plus de la moitié, et elles ne seront mûres que dans huit jours. Qui les mangera?

– Peut-être nous, si nous revenons passer quelques jours ici pour la Toussaint, dans six semaines.

– Les oiseaux les auront mangées, il n'en restera pas une! Et toutes les bouteilles de vin qui sont dans la cave, elles vont être perdues?

---

pressentir, sentir d'avance

– Au contraire, dit l'oncle Jules. Le vin devient encore meilleur en vieillissant.

– Ça c'est vrai, dis-je. Mais est-ce que vous pensez au jardin? Papa a planté des tomates; on n'en a pas encore mangé une!

– Je me suis peut-être trompé dans mes calculs, dit mon père. Mais le grand coupable, c'est la sécheresse. Il n'a pas plu une seule fois, jusqu'à aujourd'hui.

– Eh bien, maintenant, dis-je, il va pleuvoir, et tout va devenir énorme! Ça, c'est vraiment malheureux!

– Rassure-toi, dit mon père. François m'a promis de s'en occuper, et en venant au marché, il nous en apportera de pleins *cageots!*

Je cherchais mille excuses absurdes, j'essayais de prouver qu'un départ aussi brutal n'était pas réalisable, comme s'il eût été possible de retarder la rentrée des classes. Mais je sentais bien la pauvreté de mes arguments, et le désespoir me gagnait.

---

cageot, caisse en bois léger, servant au transport des fruits ou des légumes

Questions

1. Pourquoi Marcel, en racontant son histoire, ne peut-il pas laisser le grand-duc immobile sur son rocher?

2. Pourquoi Paul se met-il à pleurer?

3. Quelle est la réaction de Marcel en apprenant que les vacances vont bientôt finir?

4. Pourquoi le désespoir de Marcel se transforme-t-il en révolte?

5. Que pensez-vous des raisons trouvées par Marcel pour ne pas partir?

6

Le lendemain, un air frais me réveilla: Paul venait d'ouvrir la fenêtre, et il faisait à peine jour. Je crus que c'était la lumière grise de l'aube, mais il était au moins huit heures, et mon père ne m'avait pas appelé : la pluie avait noyé notre dernière journée de chasse.

– On n'ira plus à la chasse, dis-je à Paul d'une voix qui exprimait le désespoir.

– Tous les oiseaux sont morts, dit-il. J'ai vu qu'il n'en reste plus.

– Et alors, lui dis-je sur un ton sévère, ça te fait plaisir que les vacances soient finies?

– Oh! oui! dit-il. A la maison, j'ai ma boîte de soldats!

– Alors, pourquoi tu pleurais hier soir?

Il ouvrit ses grands yeux bleus, et dit :

– Je ne sais pas.

Sa réponse me rendit furieux, et je descendis à la salle à manger. J'y trouvai une foule de gens et d'objets.

Dans deux caisses de bois blanc, mon père rangeait des souliers, des *ustensiles*, des livres. Ma mère pliait sur la

ustensiles

table des lingeries, la tante fermait les valises, l'oncle faisait des paquets, et la petite sœur, sur une chaise haute *suçait son pouce.*

– Ah! te voilà! dit mon père. La dernière chasse est *ratée.* Il faut *en prendre son parti* . . .

Ma mère, sur la table déjà pleine de choses, me servit le café au lait, et de belles *tartines.* Je m'installai, sans y toucher.

Il y eut un long silence, puis ma mère dit :

– Ton café au lait va être froid.

Sans la regarder, je répondis :

– Je n'ai pas faim.

Elle insista :

– Tu n'as rien mangé hier au soir. Fais un effort . . .

Mais mon père lui coupa la parole d'une voix de gendarme :

– Laisse-le. S'il n'a pas faim, la *nourriture* pourrait le rendre malade. Ne prenons pas cette responsabilité.

---

rater, ne pas réussir; manquer
prendre son parti (de qc), accepter la situation telle qu'elle est
tartine, tranche de pain avec du beurre
nourriture, ce que l'on mange

Et il continua :

– Après tout, on a eu de belles vacances, mais on n'est pas mécontent de rentrer chez soi! *Il me tarde* de retrouver mes *gosses* et mon tableau noir!

Quant à la tante Rose, elle déclara tout court :

– Moi, ici, ce qui me manque, c'est le gaz.

Comment une femme si charmante et si raisonnable, pouvait-elle préférer cette *abominable* odeur à la brise fraîche des collines?

L'oncle Jules, pourtant, la dépassa dans la *bassesse*, car il dit :

– Eh bien, moi, ce qui m'a manqué, ce sont des *cabinets* confortables, sans insectes.

J'étais au comble de l'*indignation*, mais je constatai avec fierté que seule ma mère ne *blasphémait* pas mes chères collines : elle avait au contraire un petit air de mélancolie si tendre que j'allai lui baiser la main, sans que personne ne le vît.

Puis, je m'installai dans un coin sombre, pour réfléchir.

Ne serait-il pas possible de gagner huit jours, ou peut-être deux semaines en *feignant* une grave maladie? L'invisible mal à la tête, l'incontrôlable mal au cœur sont toujours d'un effet certain. Mais si la chose est grave, alors paraît le thermomètre. Et si je me cassais plutôt une jambe? Il me faudrait rester un mois sur une chaise-

---

il me tarde, j'attends avec impatience
gosse, m. et f., enfant (pop.); ici : élève
abominable, très désagréable
bassesse, ici : vulgarité
cabinets, WC, toilettes
indignation, protestation violente
blasphémer, insulter, en parlant d'une chose sacrée
feindre, faire semblant; faire comme si . . .

longue avec la jambe dans le *plâtre* et tirée jour et nuit par un poids de cent kilos!

Non, pas de jambe cassée.

Mais alors, que faire? Fallait-il *se résigner à* quitter – pour une éternité – mon cher Lili?

Et justement, le voilà qui montait la petite côte, protégé de la pluie par un sac plié qu'il tenait au-dessus de la tête. Je repris tout de suite courage, et j'ouvris la porte bien grande avant qu'il ne fût arrivé.

Il salua poliment mes parents qui lui répondirent gaiement tout en continuant leurs préparatifs.

Lili vint à moi, et dit :

– Il faudrait aller chercher nos pièges . . .

– Tu veux sortir sous cette pluie? dit ma mère surprise. Tu as envie d'attraper un *rhume?*

– Ecoute, maman, je vais mettre ma *pèlerine* avec le *capuchon*, et Lili prendra celle de Paul.

– Vous savez, madame, dit Lili, la pluie se calme un peu, et il n'y a pas de vent . . .

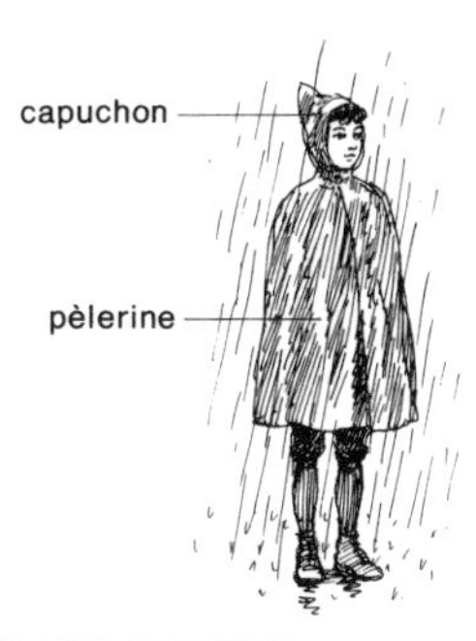

plâtre, poudre qui, mélangée à l'eau, puis séchée, forme une masse solide
se résigner à, accepter de
rhume, inflammation du nez et de la gorge

Mon père intervint :

– C'est le dernier jour, dit-il. Il n'y a qu'à les habiller chaudement, avec des journaux sur la poitrine. Après tout, ils ne sont pas en sucre, et le temps a l'air de s'arranger.

Ma mère nous habilla, et comme nous sortions de la maison, la pluie s'arrêta.

– Marchons vite ! dis-je, car papa et l'oncle Jules vont sûrement aller à la chasse maintenant, et je n'ai pas envie de faire le chien aujourd'hui. Puisqu'ils veulent partir demain ils n'ont qu'à chasser tout seuls.

Malgré le mauvais temps, nos pièges avaient eu un grand succès, et bientôt les musettes furent *bourrées* de toutes sortes d'oiseaux.

Cette réussite ne fit qu'*aggraver* mon chagrin, et comme nous arrivions là où étaient tendus les derniers pièges, Lili, pensif, dit à mi-voix :

– Quand même, c'est bien malheureux . . . Demain, je vais préparer les pièges à grives que je tendrai demain soir. Et je te promets que lundi matin il me faudra deux grands sacs pour les rapporter.

Je dis sèchement :

– Lundi matin, tu seras à l'école !

– Oh ! que non ! Quand je vais dire à ma mère que les grives sont arrivées, et que je peux en prendre pour quinze ou vingt francs par jour, elle ne sera pas assez bête pour m'envoyer à l'école ! Jusqu'à vendredi – et peut-être l'autre lundi – je suis bien tranquille !

Alors, je l'imaginai tout seul, sur les collines ensoleillées, pendant que je serais assis sous le plafond bas d'une classe, en face d'un tableau noir . . . Ma gorge se serra

---

bourrer, remplir le plus possible
aggraver, augmenter

soudain, et je fus pris de colère et de désespoir. Je criais, je pleurais, et je me roulais sur le sol.

– Non! non! je ne partirai pas! Non! je ne veux pas y aller! Je n'irai pas! Non! je n'irai pas!

Lili, *bouleversé* par ce désespoir, me prit dans ses bras.

– Te rends pas malade! disait-il. Ecoute-moi, écoute-moi . . .

Je l'écoutais, mais il n'avait rien à me dire, que son amitié.

Honteux de ma faiblesse, je fis soudain un grand effort, et je dis clairement :

– Si l'on veut me forcer à retourner en ville, je me laisserai mourir de faim. D'ailleurs, j'ai déjà commencé : je n'ai rien mangé ce matin.

Cette révélation troubla Lili.

– Rien du tout?

– Rien.

– J'ai des pommes, dit-il en cherchant dans sa musette.

– Non. Je n'en veux pas. Je ne veux rien.

Ce refus était si violent qu'il n'insista pas.

Après un assez long silence, je déclarai :

– Ma décision est prise. Ils n'ont qu'à partir, si ça leur plaît. Moi, je reste ici.

Pour marquer le caractère définitif de cette décision, j'allai m'asseoir sur une grosse pierre, et je croisai les bras sur ma poitrine. Lili me regardait d'un air inquiet.

– Et comment vas-tu faire?

– Ho, ho! dis-je, c'est bien facile. Demain matin – ou peut-être cette nuit – je fais mon *balluchon*, et je vais me cacher dans la petite grotte sous le Taoumé.

---

bouleverser, causer une émotion violente

honteux, qui a l'impression de s'être mal conduit

balluchon, paquet de vêtements et d'objets que l'on emporte avec soi

Il ouvrit de grands yeux.

– Tu le ferais?

– Tu ne me connais pas.

– Ils vont te chercher tout de suite.

– Ils ne me trouveront pas.

– Alors, ils iront le dire aux gendarmes.

– Puisque personne ne connaît cet endroit – c'est toi qui me l'as dit – ils ne me trouveront pas non plus. Et d'abord, je vais faire une lettre pour mon père, et je la laisserai sur mon lit. Je lui dirai de ne pas me chercher, parce que je suis introuvable, et que s'il prévient les gendarmes, moi, je me jetterai du haut d'un rocher. Je le connais. Il me comprendra, et il ne dira rien à personne.

– Quand même, il va se faire du souci.

– Il s'en ferait bien plus s'il me voyait mourir à la maison.

Après réflexion, Lili déclara :

– J'aimerais bien, moi, que tu restes. Mais dans la colline, où est-ce que tu vas chercher de quoi vivre?

– Premièrement, je vais emporter des provisions. A la maison, il y a du chocolat, et une boîte de biscuits. Et puis, ici je chercherai des asperges, des *escargots*, et des champignons.

Lili n'avait pas l'air très convaincu, et je *m'énervai* un peu :

---

s'énerver, devenir de plus en plus excité

– On voit bien que tu ne lis jamais rien! Tandis que moi, j'ai lu des vingtaines de livres. Et je peux te dire qu'il y a beaucoup de gens qui vivent très bien dans les *forêts vierges* . . . Et pourtant, il y a plein de bêtes sauvages, et des Indiens. Tandis qu'ici, il n'y a pas d'Indiens, pas de bêtes sauvages . . .

Peu à peu, il se laissait convaincre, et il déclara d'abord qu'il compléterait mon stock de provisions, en volant un sac de pommes de terre dans la cave de sa mère, et au moins deux *saucissons*. Il me promit ensuite de garder pour moi, chaque jour, la moitié de son pain, et un peu de chocolat. Puis, comme c'était un esprit pratique, il tourna sa pensée vers l'argent.

– Et d'abord, dit-il, nous allons prendre des douzaines d'oiseaux! Je n'en apporterai que la moitié à la maison, et nous irons vendre le reste à l'*auberge*. Avec ça, tu pourras acheter du pain.

– Et je vendrai aussi des escargots au marché!

– Et avec tout cet argent, nous achèterons des pièges à lapin! Si nous prenons un lièvre, ça fera au moins cinq francs!

Ainsi nous descendîmes à grand pas jusqu'à la maison, en faisant mille projets.

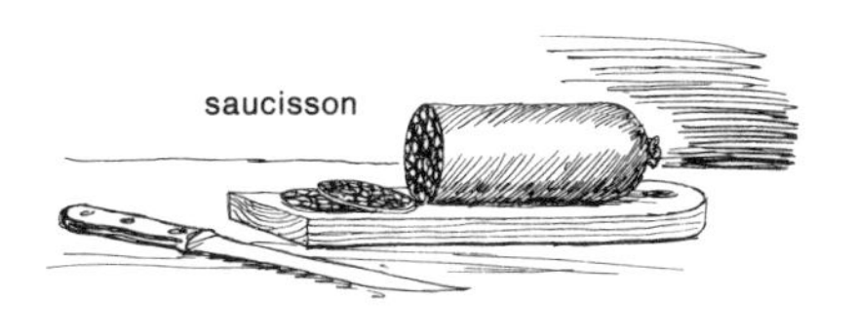

---

forêt vierge, forêt tropicale, très dense et difficile à pénétrer
auberge, petit hôtel simple de campagne

Questions

1. Pourquoi Marcel refuse-t-il de manger?

2. Que pense Marcel des membres de sa famille qui souhaitent retourner en ville?

3. Pourquoi Lili pense-t-il ne pas aller à l'école le lundi?

4. Qu'est-ce qui décide Marcel à rester?

5. Qu'est-ce qui montre que Lili a l'esprit plus pratique et réaliste que Marcel?

7

Les chasseurs étaient partis, et Lili déjeuna à la maison avec ma mère, ma tante, la petite sœur et Paul.

Il était grave, tandis que je montrais une gaieté qui fit plaisir à maman. Je la regardais avec tendresse, mais j'étais parfaitement décidé à la quitter la nuit suivante.

Après le déjeuner, Lili nous quitta, en disant que sa mère l'attendait. En réalité, il allait examiner le contenu de la cave, et préparer mes provisions, car il savait que sa mère était aux champs.

Je montai aussitôt dans ma chambre, et je composai ma lettre d'adieu :

Mon cher Papa,
Ma chère Maman,
Mes chers Parents,

Surtout ne vous faites pas de souci. Ça ne sert à rien. Maintenant, j'ai trouvé ce que je veux faire dans la vie: je veux être *ermite*.

J'ai pris tout ce qu'il faut.

Pour mes études, maintenant, c'est trop tard, parce que j'y ai renoncé.

Si ça ne réussit pas, je reviendrai à la maison. Moi, mon bonheur, c'est l'aventure. Il n'y a pas de danger. D'ailleurs, j'ai emporté de l'Aspirine.

---

ermite, quelqu'un qui vit seul, retiré du monde

Je ne serai pas tout seul. Une personne (que vous ne connaissez pas) va venir m'apporter du pain, et me tenir compagnie pendant les orages.

Ne me cherchez pas : je suis introuvable.

Je vous embrasse tendrement, et surtout ma chère maman.

Votre fils,

MARCEL
l'Ermite des Collines.

J'allai ensuite chercher un vieux morceau de *corde* que j'avais remarqué dans le jardin, et qui me permettrait de descendre par la fenêtre de ma chambre. J'allai le cacher sous mon lit.

Je préparai enfin mon balluchon : un peu de linge, une paire de souliers, un couteau pointu, une *hache*, une fourchette, une cuiller, un cahier, un crayon, une petite casserole, des *clous*, et quelques vieux *outils*. Je cachai le tout sous mon lit, avec l'intention d'en faire un balluchon au moyen de ma couverture, dès que tout le monde serait couché.

Quand tout fut prêt, je descendis pour consacrer à ma mère les dernières heures que je devais passer avec elle.

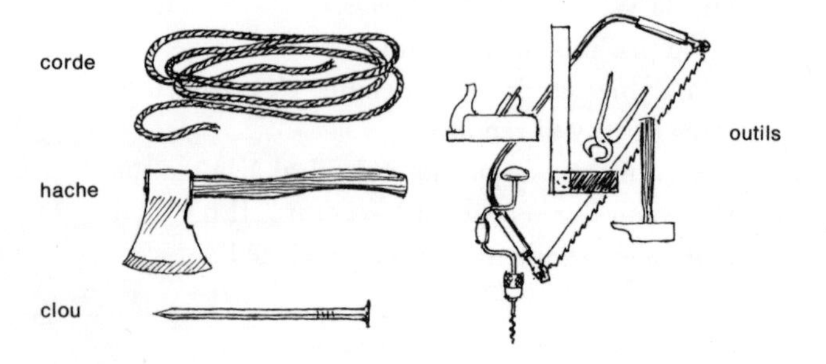

Le dernier dîner fut excellent et *copieux*, comme pour célébrer un heureux événement. Personne ne prononça un mot de regret. Au contraire, ils paraissaient tous assez contents de rentrer.

Mais moi, je restais.

Une petite pierre frappa le *volet* de ma chambre. C'était le signal. J'ouvris lentement la fenêtre. Un chuchotement monta dans la nuit :

– Tu y es?

Pour toute réponse, je fis descendre mon balluchon. Puis, je posai ma lettre d'adieu sur le lit et j'attachai solidement la corde à la fenêtre. J'envoyai un dernier baiser à ma mère, qui était dans sa chambre, de l'autre côté du mur, et je me laissai glisser jusqu'au sol.

Lili était là, sous un arbre. Je le distinguais à peine. Il fit un pas en avant, et dit à voix basse :

– Allons-y!

Il prit sur l'herbe un sac assez lourd qu'il chargea sur son épaule.

– C'est des pommes de terre, des carottes et des pièges, dit-il.

– Moi, j'ai du pain, du sucre, du chocolat et deux bananes. Marche, nous parlerons plus loin.

En silence nous montâmes la côte. Je respirais avec joie l'air frais de la nuit, et je pensais, sans la moindre inquiétude, à ma nouvelle vie qui commençait.

La nuit était calme, mais le ciel était couvert : il n'y avait pas une étoile. J'avais froid.

---

copieux, en quantité plus que suffisante
volet, pièce de bois ou de métal placée contre la fenêtre pour la protéger ou pour réduire la lumière du jour

Nous marchions vite, et le poids de nos paquets nous tirait les épaules. Nous ne disions pas un mot.

Après une demi-heure, Lili parla le premier :

– J'ai presque *failli* ne pas venir t'appeler !

– Tes parents te surveillaient ?

– Oh ! non. Ce n'est pas ça.

– Alors qu'est-ce que c'est ?

Il hésita, puis dit :

– Je croyais que tu ne le ferais pas.

– Et quoi donc ?

– De rester dans la colline. Je croyais que tu l'avais dit comme ça, mais que finalement . . .

Je me sentis blessé dans mon orgueil.

– Alors, tu me prends pour une fille, qui change d'idée à tout moment ? Eh bien, tu apprendras que quand j'ai décidé quelque chose, je le fais toujours ! Et si tu n'étais pas venu, je serais parti tout seul !

Il me regarda une seconde, et dit avec émotion :

– Tu es formidable !

Je pris aussitôt l'air formidable, mais je ne répondis rien.

Il me regardait toujours et dit encore :

– Il n'y en a pas deux comme toi !

Cette admiration me parut soudain très inquiétante, et il me fallut faire un effort pour rester formidable.

J'étais sur le point d'y réussir lorsqu'il me sembla entendre au loin une sorte d'aboiement, aigu et bref, mais trois fois répété.

– C'est un chasseur ?

– Non, dit Lili. C'est le *renard*.

---

faillir, être sur le point de

La petite voix sauvage cria de nouveau trois fois et me fit *tressaillir*.

Soudain, à ma gauche, dans la brume une ombre assez haute passa rapidement sous les branches pendantes.

– Lili, dis-je à voix basse, je viens de voir passer une ombre!

– Où?

– Là-bas.

– Tu rêves, dit-il. C'est guère possible de voir une ombre dans la nuit . . .

– Je te dis que j'ai vu passer quelque chose!

Il s'arrêta et regarda à son tour, en silence.

– A quoi penses-tu?

Il me répondit par une autre question.

– Comment elle était, cette ombre?

– Un peu comme l'ombre d'un homme.

– Grand?

– Oui, plutôt grand.

– Avec un manteau? Un long manteau?

– Tu sais, je n'ai pas bien vu. J'ai vu comme une ombre qui bougeait. Pourquoi me demandes-tu ça? Tu penses à quelqu'un qui a un manteau?

– Ça se pourrait, dit-il d'un air rêveur. Moi, je ne l'ai jamais vu. Mais mon père l'a vu.

– Qui ça?

---

tressaillir, trembler soudainement et fortement sous l'effet de la peur, de la surprise, etc.

– Le grand Félix.

– C'est un *berger?*

– Oui, dit-il. Un berger d'autrefois.

– Je ne comprends pas.

Il se rapprocha de moi et dit à voix basse :

---

berger, celui qui garde les moutons

– Ça fait au moins cinquante ans qu'il est mort.

Comme je le regardais, stupéfait, il chuchota dans mon oreille :

C'est un *fantôme!*

Cette révélation était si inquiétante que, pour me rassurer, je ris tout haut, et je dis :

– Eh bien, moi je t'apprendrai que mon père, qui est un savant, dit que les fantômes, ça n'existe pas! Ça le fait rire. Et moi aussi, ça me fait rire. Oui, rire!

– Eh bien, moi, mon père, ça ne le fait pas rire, parce qu'il l'a vu, lui, le fantôme; il l'a vu quatre fois, et il lui a même parlé.

Cette histoire était absurde, et je décidai de ne pas y croire.

Lili parut blessé, et se remit en marche. Je le suivis, en regardant derrière moi de temps à autre.

Soudain, il s'arrêta.

– Il y a une chose que nous avons oubliée!

– Et laquelle?

– Le hibou.

– Qu'est-ce que tu veux dire?

– Le grand-duc! Nous n'en avons vu qu'un, mais *je te parie* douze pièges qu'il y en a deux!

C'était une nouvelle terrifiante. Même si on est formidable, il y a des moments où le sort nous trahit. Deux gros hiboux! Je les voyais voler autour de ma tête, leur bec jaune ouvert sur des langues noires. Je fermai les yeux de toutes mes forces, et je respirai profondément.

Non, non ce n'était pas possible : il valait mieux la classe avec le tableau noir.

---

je te parie, c'est à dire : si j'ai raison tu me donnes 12 pièges, si tu as raison, c'est moi qui te les donne

Lili répétait :

– Il y en a sûrement deux!

Alors, je fus d'autant plus formidable que j'étais décidé à reculer quand le moment serait venu. Je lui répondis froidement :

– Nous aussi, nous sommes deux. Est-ce que tu aurais peur, par hasard?

– Non! dit-il avec force. Tu as raison. Après tout, ce ne sont que des oiseaux!

Et il ajouta :

– Tu es formidable!

Quelques étoiles venaient de paraître sur le bord du ciel, et Lili dit :

– Nous avons le temps de passer par la Font Bréguette : on remplira tes bouteilles.

Je le suivis.

La Font Bréguette était un trou carré, et il était toujours à demi-plein d'une eau glacée.

Lili coucha sous l'eau une bouteille vide.

– C'est ici que tu viendras boire, dit-il. Elle ne sèche jamais, et elle fait au moins dix litres par jour.

J'eus une idée – que je cherchais d'ailleurs depuis un moment. Je pris une mine inquiète, et je dis :

– Pas plus de dix litres? Tu es sûr?

– Oh! oui! Peut-être quinze!

Alors, je criai :

– Et qu'est-ce que tu veux que je fasse avec quinze litres d'eau?

– Tu ne vas quand même pas boire tout ça?

– Non. Mais pour me laver.

– Pour se laver, une poignée d'eau, ça suffit!

Je me mis à rire.

– Pour toi, peut-être. Mais moi il faut que je me savonne du haut en bas.

– Pourquoi? Tu es malade?

– Non. Mais il faut comprendre que je suis de la ville, ça fait que je suis tout plein de microbes. Et les microbes, c'est dangereux!

– Qu'est-ce que c'est?

– C'est des espèces de *poux*, mais si petits que tu ne peux pas les voir. Et alors, si je ne me savonne pas tous les jours, ils vont me manger petit à petit, et *un de ces quatre matins*, tu me trouves mort dans la grotte.

Lili parut désespéré.

– Mais moi, je ne savais pas! Moi, des microbes, j'en ai pas! Je ne me lave que le dimanche, comme tout le monde!

– Allons, allons, ne cherche pas d'excuse, c'est raté. C'est une catastrophe, mais enfin, ce n'est pas de ta faute ... Adieu. Je suis vaincu. Je rentre chez moi.

Je remontai vers le plateau. Lorsque j'eus fait vingt pas, je m'assis par terre et laissai tomber mon front sur mes bras. Lili me rejoignit en courant, et me prit dans ses bras.

– Ne pleure pas, disait-il, ne pleure pas ...

Je riais :

– Moi? Pleurer? Non, je n'ai pas envie de pleurer: j'ai envie de *mordre!* Enfin, n'en parlons plus.

– Donne-moi tes paquets, dit-il. Puisque c'est de ma faute, je veux les porter. Et maintenant, marchons vite, avant qu'ils aient vu ta lettre. Je suis sûr qu'ils dorment encore ...

---

pou, -x, insecte qui vit sur les chiens et qui leur suçe le sang
un de ces quatre matins, expression voulant dire : bientôt
mordre, serrer avec les dents

Il marcha devant moi; je le suivis sans mot dire, mais en poussant, de temps à autre, un grand soupir.

La maison, de loin, semblait noire et morte. Mais quand nous approchâmes, mon cœur se serra : les volets de la chambre de mon père étaient ouverts.

– Je te parie qu'il est en train de s'habiller, dis-je.

– Alors, il n'a encore rien vu. Monte vite!

Il m'aida à attraper la corde qui devait révéler mon départ, et qui maintenant assura mon retour. Puis, il me fit passer mon balluchon.

– Je reviens! dit-il.

Ma lettre d'adieu était toujours à sa place. Je la pris et la déchirai en mille petits morceaux.

Alors, dans le silence, j'entendis comme une conversation à voix basse : cela venait de la chambre de mon père. Il parlait très vite, et comme gaiement. Il me sembla même distinguer un rire.

Eh oui, il riait de la fin des vacances. Il riait, dès son réveil, à la pensée de retrouver son tableau noir.

Je cachai mon balluchon sous mon lit, et me couchai, honteux et glacé. J'avais eu peur, je n'étais qu'un *lâche*. J'avais menti à mes parents, j'avais menti à mon ami, je m'étais menti à moi-même.

En vain, je cherchai des excuses : je sentis que j'allais pleurer . . . Alors, je tirai l'épaisse couverture, et je m'enfuis dans le sommeil . . .

Quand je m'éveillai, Paul n'était plus dans son lit. J'ouvris la fenêtre : il pleuvait.

Je trouvai la famille autour de la table; en compagnie de Lili, elle déjeunait de grand appétit.

---

lâche, qui manque de courage

Mon arrivée fut accueillie par des tas d'exclamations. Mon père me dit en riant :

– Pour la dernière nuit, le chagrin ne t'a pas empêché de dormir. Maintenant, mange, parce qu'il est neuf heures du matin, et nous ne serons pas à la maison avant une heure de l'après-midi.

Je *dévorai* mes tartines. Devant Lili, j'avais honte, et je ne le regardais que secrètement.

Nous partîmes sous la pluie, ayant mis nos pèlerines. Lili, portant un sac, voulut absolument nous accompagner.

En bas du village, l'omnibus attendait, et nous fîmes nos adieux à Lili sous les yeux des voyageurs.

Comme je secouais sa main *virilement*, je vis des larmes dans ses yeux, tandis que sa bouche faisait une petite grimace. Mon père s'avança :

– Allons, dit-il, tu ne vas pas pleurer comme un bébé devant tous ces gens qui vous regardent !

Mais Lili baissait la tête, et il grattait la terre avec la pointe de son soulier. Moi aussi, j'avais envie de pleurer.

---

dévorer, manger très vite, avec grand appétit
viril, digne d'un homme

Questions

1. Pourquoi, dans sa lettre, Marcel écrit-il que ses parents ne connaissent pas la personne qui viendra lui apporter du pain?

2. Quand Marcel commence-t-il à avoir peur?

3. Pourquoi Marcel dit-il que les fantômes le font rire?

4. Pourquoi Marcel ne veut-il pas renoncer quand Lili parle des deux hiboux?

5. Est-ce vraiment le besoin de se laver et la peur des microbes qui font renoncer Marcel?

6. Pourquoi Marcel a-t-il honte devant Lili?

8

Je retrouvai, sans aucune joie, la grande école, et je fis mon entrée en *quatrième primaire*, dans la classe de M. Besson.

Il me fit un grand accueil, mais m'inquiéta beaucoup en me disant que ma vie entière dépendait de mes études de cette année, et qu'il serait forcé de me *serrer la vis*, parce que j'étais son candidat au concours des *bourses* du lycée.

Je m'aperçus bientôt que ma candidature engageait l'honneur de toute l'école. Ainsi, il me fallut venir à l'école, le *jeudi* matin, à neuf heures.

M. Suzanne, maître du Cours supérieur, m'attendait dans sa classe vide, pour me poser des problèmes de calculs. Vers onze heures, M. Bonafé venait contrôler mes *analyses logiques* et m'en offrait de nouvelles. De plus, M. Mortier confiait parfois ses élèves à mon père en semaine, puis il m'entraînait dans sa classe vide et me posait mille questions sur l'histoire de France. Mon père s'était réservé la surveillance de l'*orthographe* et me faisait faire, chaque matin, avant mon café au lait, une dictée de six lignes.

Le soir, sous la lampe, je faisais mes devoirs sans mot dire. Ma chère maman était effrayée de me voir penché si longtemps sur mon travail, et la séance du jeudi matin lui

---

quatrième primaire, quatrième année d'école primaire
serrer la vis [*vis*], être sévère (pop.)
bourse, ici : argent fourni à un élève pour qu'il puisse faire des études gratuitement
jeudi, d'habitude, les élèves de l'école primaire ne travaillent pas le jeudi
analyse logique, exercice de grammaire qui consiste à étudier la formation des phrases
orthographe, manière d'écrire les mots suivant les règles

paraissait une invention cruelle. Elle me soignait comme un *convalescent*, et préparait pour moi des nourritures délicieuses.

Finalement, je *tenais le coup*, et mes progrès faisaient tant de plaisir à mon père qu'ils me paraissaient moins douloureux.

Les trente-deux derniers jours du *trimestre* me semblèrent *interminables*.

Mais, un soir de décembre, en sortant de l'école, je reçus un grand coup au cœur en entrant dans la salle à manger.

Dans une valise en carton, ma mère entassait des lainages et le fusil de mon père était sur la table.

Je savais que nous devions partir dans six jours, mais je m'étais toujours efforcé de ne pas imaginer ce départ, afin de garder mon calme. La vue de ces préparatifs qui faisaient déjà partie des vacances, me causa une émotion si forte que les larmes montèrent à mes yeux. Je posai mon *cartable* sur une chaise, et je courus m'enfermer dans les cabinets, pour y pleurer tranquillement, tout en riant.

J'en sortis au bout de cinq minutes et, d'une voix un peu étouffée, je demandai à mon père :

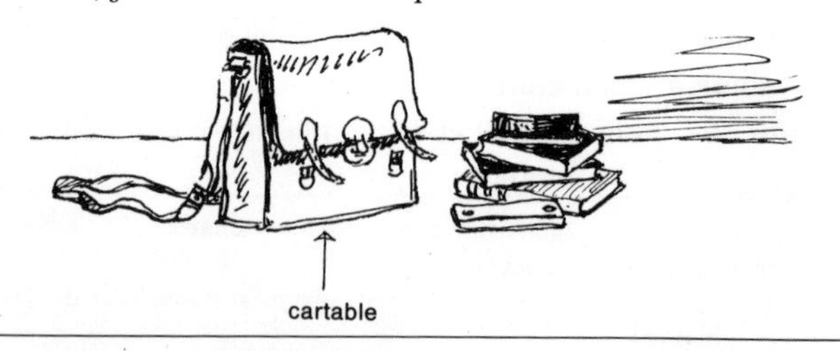

---

convalescent, quelqu'un qui vient d'avoir une grave maladie
tenir le coup, résister (pop.)
trimestre, trois mois (l'année scolaire en France se compose de trois trimestres entre lesquels se placent les vacances)
interminable, qui ne prend pas fin

– Nous partirons, même s'il pleut?

– Nous avons neuf jours de vacances, répondit-il. Et même s'il pleut, nous partirons!

Le matin du vendredi, mon père alla faire son dernier cours à l'école. Depuis quelques jours, le froid était vif, et ma mère nous enveloppa dans plusieurs couches de laine, Paul, la petite sœur et moi.

A onze heures, mon père arriva. Nous déjeunâmes en vitesse et, ensuite, ce fut le départ pour la Gare de l'Est, où l'omnibus attendait.

Sous un petit soleil d'hiver, nous retrouvâmes le chemin des vacances. Malgré le poids de nos paquets, nous marchions d'un bon pas, pour ne pas avoir froid.

Tout en marchant, je pensais à mon cher Lili. Où était-il? Est-ce que son père lui avait dit que nous venions? Nous ne serions pas à la villa avant la tombée de la nuit. Peut-être allions-nous le trouver devant la maison, assis sur la pierre du seuil? Ou peut-être était-il en route pour venir à ma rencontre?

Je n'osais guère l'espérer, à cause de l'heure et du froid, car dans le crépuscule, une poussière d'eau glacée s'était mise à tomber lentement. C'est alors, qu'en arrivant au village, je distinguai une petite ombre sous un capuchon...

Je courus vers lui, il courut vers moi. Je m'arrêtai à deux pas . . . Il s'arrêta, lui aussi, et comme un homme, me tendit la main. Je la serrai virilement, sans dire un mot. Il était rouge de plaisir et d'émotion, et je devais l'être plus que lui.

– Tu nous attendais?

– Non, dit-il. J'étais venu pour voir Durbec qui habite là, juste derrière le portail vert. Il m'avait promis des pièges.

– Il t'en a donné?

– Non. Il n'était pas chez lui... Alors, j'ai un peu attendu, pour voir s'il ne revenait pas...

Mais à ce moment, le portail s'ouvrit, et un petit âne en sortit, suivi de Durbec. Au passage, il nous cria:

– Salut, bonjour la compagnie!

Lili devint tout rouge, et courut brusquement vers ma mère, pour prendre ses paquets. Alors, je ne posai plus de question. J'étais heureux parce que je savais qu'il m'avait menti : oui, il était venu m'attendre, la veille de Noël, sous cette fine pluie froide. Il était descendu des Bellons, mon petit frère des collines . . . Il était là depuis des heures, il serait resté jusqu'à l'arrivée de la nuit, avec l'espoir de voir paraître, sur la route mouillée, le capuchon de son ami.

La première journée, celle de Noël, ne fut pas une vraie journée de chasse : il fallut aider ma mère à mettre en ordre la maison, et ramener, pour le feu, une grande quantité de bois mort.

Le soir, nous fîmes un grand souper devant le feu. Lili – notre invité d'honneur – observa tous mes gestes, et s'efforça d'imiter le gentleman qu'il croyait que j'étais.

Dans un coin de la salle à manger, un petit *sapin* nous attendait : à ses branches étaient suspendus une douzaine de pièges tout neufs, un couteau de chasse, un pistolet à bouchon, des bonbons, enfin toutes sortes de richesses. Lili ouvrait de grands yeux, et ne disait pas un mot.

Ce fut une soirée *mémorable* : je n'en avais jamais vécu d'aussi longue. Je me bourrai de dattes, de fruits et de gateaux, et je fus si bien aidé par Lili que vers minuit, je constatai qu'il avait du mal à respirer, et mon père déclara qu'il était temps d'aller se coucher.

Lorsque je fus enfin dans mon lit, je n'avais plus sommeil.

---

mémorable, qui reste longtemps dans la mémoire, dont on se souvient longtemps

C'était trop tard. Je comptais faire la conversation avec Lili, pour qui ma mère avait installé un lit dans ma chambre, mais il s'était endormi sans avoir eu la force de se déshabiller.

Ces huit jours de Noël passèrent comme un rêve.

Le matin, à six heures, il faisait encore nuit. Je me levais, et je descendais allumer le grand feu de bois; puis, je préparais le café pour mon père et moi. Avant le lever du jour, les pas de Lili résonnaient sur la route glacée, et nous partions tous les trois.

Les perdreaux étaient devenus *méfiants*, cependant, nous tuâmes quatre lièvres et un bon nombre de lapins. Quant à nos pièges ils nous donnèrent, tous les jours, des grives, triomphe que nous n'avions pas prévu.

Nous rentrions de la chasse à la tombée de la nuit, et à six heures et demie, la *broche* tournait sur le feu, garnie de grives tendres . . .

Grandes et belles journées, qui me semblaient immenses le matin, mais qui parurent si courtes quand sonna l'heure du départ . . .

---

méfiant sur ses gardes

Le dernier soir, en fermant les bagages, comme ma mère me voyait tout triste, elle dit :

– Joseph, il faut monter ici tous les samedis.

– Quand il y aura le tramway, dit mon père, ce sera peut-être possible. Mais pour le moment . . .

– Quand nous aurons le tramway, les enfants porteront des moustaches. Regarde–les : jamais ils n'*ont* eu si *bonne mine* et moi, je n'ai jamais mangé avec tant d'appétit.

– Je le vois bien, dit mon père pensif. Mais le voyage dure quatre heures ! Nous arriverions ici le samedi à huit heures du soir, et il faudrait repartir le dimanche après-midi.

– Pourquoi pas le lundi matin ?

– Parce qu'il faut que je sois à l'école à huit heures précises, tu le sais bien.

– Moi, j'ai une idée, dit ma mère.

– Et laquelle ?

– Tu verras.

Mon père fut surpris. Il réfléchit un instant, et dit :

– Je sais à quoi tu penses.

– Non, dit ma mère. Tu ne le sais pas. Mais ne me pose plus de questions. C'est mon secret. Et tu ne le sauras que si je réussis.

– Bien, dit mon père. Nous attendrons.

---

avoir bonne mine, avoir l'air en bonne santé

Questions

1. Le programme de travail de Marcel vous semble-t-il très chargé ?
2. Madame Pagnol a-t-elle raison de s'inquiéter de la santé de son fils ?
3. Pourquoi Marcel s'enferme-t-il pour pleurer de joie en apprenant le départ pour les Bellons ?
4. Que pensez-vous du mensonge de Lili ?
5. Pourquoi Marcel n'a-t-il plus sommeil quand il va se coucher le soir de Noël ?
6. Pourquoi Madame Pagnol ne dit-elle pas son idée à son mari ?

9

Son idée n'était pas mauvaise.

Elle rencontrait souvent au marché la femme du directeur de l'école. C'était une grande belle personne qui portait de jolis bijoux.

Ma mère, timide et petite, la saluait discrètement de loin. Mais comme pour ses enfants elle était capable de tout, elle commença par rendre plus cordial son salut. Deux jours après, elles faisaient leur marché ensemble, et la semaine suivante, Mme la directrice l'invita à venir prendre le thé chez elle.

Mon père ignorait tout de cette *conquête*, et il fut bien surpris quand il lut, sur le *tableau de service*, une décision de M. le directeur: il serait désormais chargé de la surveillance du jeudi matin, mais en échange, les professeurs de chant et de gymnastique se chargeraient de ses élèves le lundi matin, ce qui lui donnait sa liberté jusqu'à une heure et demie.

Alors se posa pour lui un problème : devait-il remercier son chef?

Il posa la question à sa femme le soir même à table, mais elle lui répondit en souriant :

– Rassure-toi, j'y ai pensé. J'ai déjà envoyé un beau bouquet de roses à Mme la directrice.

– Ho ho! dit-il surpris. Je ne sais pas si ce geste ne paraît pas . . . trop familier . . . Ou peut-être trop *prétentieux* . . . Je me demande comment elle va prendre la chose . . .

---

conquête, ici: lutte pour gagner l'estime de qn
tableau de service, tableau où est indiqué l'emploi du temps des instituteurs dans une école
prétentieux, qui croit avoir une certaine supériorité

– Elle l'a très bien prise. Elle m'a même dit que j'étais «*un amour*»!

Il ouvrit de grands yeux.

– Tu lui as parlé?

– Bien sûr! dit ma mère en riant. Nous faisons notre marché ensemble tous les jours, et elle m'appelle Augustine!

C'est ainsi que presque tous les samedis, à partir du *Mardi Gras*, nous pûmes monter aux collines.

Avec notre chargement habituel, et les courtes *haltes* à l'ombre, le voyage durait quatre heures. Lorsque nous arrivions enfin devant la villa, nous étions morts de fatigue. Ma mère surtout, qui portait parfois dans ses bras la petite sœur endormie, paraissait à bout de forces.

Par un beau samedi d'avril, notre caravane, vers cinq heures, marchait, fatiguée mais joyeuse, entre les deux murs de pierre dorée. A trente mètres devant nous, une petite porte s'ouvrit. Un homme en sortit et referma la porte à clef.

Comme nous arrivions à sa hauteur, il regarda soudain mon père, et s'écria :

– Monsieur Joseph!

Il portait un uniforme sombre et une casquette. Il avait une petite moustache noire, et de gros yeux *marrons* qui brillaient de plaisir.

Mon père le regarda à son tour, se mit à rire et dit :

---

un amour, expression familière pour qn qui est très gentil
Mardi Gras, fête du carnaval, au mois de février
halte, ici : pause pour se reposer
marron, rouge brun

– Bouzigue ! Qu'est-ce que tu fais là ?

– Moi ? Je fais mon travail, monsieur Joseph. Je suis piqueur au canal, et c'est grâce à vous, je peux le dire ! Vous m'avez bien aidé à passer mon examen ! Je suis piqueur depuis sept ans.

– Piqueur ? dit mon père. Et qu'est-ce que tu piques ?

– Ha ha ! dit Bouzigue, content. Enfin, c'est moi qui vais vous apprendre quelque chose ! Piqueur, ça veut dire que je surveille le canal. J'ouvre et je ferme les *prises*, je contrôle la quantité d'eau. Si je vois une *fente* dans la *berge*, ou un petit pont qui devient faible, je le note, et le soir, je fais mon rapport.

– Hé hé ! dit mon père. Tu es un personnage officiel !

Bouzigue fit un clin d'œil, et eut un petit rire satisfait.

– Et de plus, dit mon père, ce n'est pas fatigant.

– Oh ! non ! dit Bouzigue. Mais où est-ce que vous allez comme ça, avec tout ce chargement ?

– *Ma foi*, dit mon père, avec une certaine fierté, nous montons à notre maison de campagne, pour y passer le dimanche.

– Ho ho ! dit Bouzigue, ravi. Vous avez *fait fortune ?*

– Pas exactement, dit mon père. Mais il est vrai que je suis maintenant instituteur des grands élèves, et que je gagne beaucoup plus.

– Tant mieux, dit Bouzigue. Ça, ça me fait vraiment plaisir. Allez, donnez-moi quelques paquets, je veux vous accompagner.

---

prise, ici : prise d'eau, arrivée d'eau
fente, ouverture longue et étroite
berge, bord du canal
ma foi, eh bien !
faire fortune, devenir riche

– Tu es bien gentil, Bouzigue, dit mon père. Mais tu ne sais pas que nous allons très loin.

– Vous n'allez pas dire que vous allez à La Treille?

– Nous traversons le village, dit mon père, mais nous allons encore plus loin.

– Mais après La Treille, il n'y a plus rien!

– Si, dit mon père, il y a Les Bellons!

– Eh ben! dit Bouzigue surpris. Et où est-ce que vous quittez l'omnibus?

– A La Barasse.

– Pauvres de vous!

Il fit un rapide calcul.

– Ça vous fait au moins huit kilomètres à pied!

– Neuf, dit ma mère.

– Et vous faites ça souvent?

– Presque tous les samedis.

– Pauvres de vous! répéta-t-il.

– C'est évidemment un peu long, dit mon père. Mais quand on y est, on ne regrette pas sa peine.

– Moi, dit Bouzigue, j'ai une idée. Aujourd'hui, vous ne ferez pas neuf kilomètres. Vous allez venir avec moi, et nous suivrons le canal, qui traverse en droite ligne toutes ces propriétés. Dans une demi-heure, nous serons au pied de La Treille!

Il tira de sa poche une clef brillante, nous ramena près de la porte qu'il venait de fermer, et l'ouvrit.

– Suivez-moi, dit-il.

Il entra. Mais mon père s'arrêta sur le seuil.

– Bouzigue, es-tu sûr que ce soit parfaitement légal?

– Qu'est-ce que vous voulez dire?

– C'est à cause de tes fonctions officielles que tu as cette clef, et que tu as le droit de passer sur le terrain des autres gens. Mais crois-tu qu'il nous soit permis de te suivre?

CANAL

– Qui le saura? dit Bouzigue.

– Tu vois! dit mon père. Puisque tu espères qu'on ne nous verra pas, c'est que tu te reconnais coupable.

– Mais quel mal faisons-nous? dit Bouzigue. J'ai rencontré mon instituteur, et je suis tout fier de lui montrer l'endroit où je travaille.

Entre la berge et la haie fleurie, nous suivions en *file indienne* un étroit sentier.

– Voilà mon canal, dit Bouzigue. Qu'est-ce que vous en dites?

– C'est bien joli, dit mon père.

– Oui, c'est bien joli; mais ça commence à *se faire* vieux. Regardez-moi ces berges . . . C'est fendu du haut en bas. Ça nous fait perdre beaucoup d'eau parce que, par endroits, c'est une *passoire.*

Ce mot frappa vivement mon frère Paul qui le répéta plusieurs fois.

Comme nous arrivions près d'un petit pont, Bouzigue dit avec fierté:

– Ici, c'est remis à neuf depuis l'an dernier. C'est moi qui l'ai fait refaire, avec du ciment *sous-marin.*

Mon père examina la berge, qui paraissait toute neuve.

– Il y a pourtant une fente, dit-il.

Bouzigue, brusquement inquiet, se pencha vers l'eau.

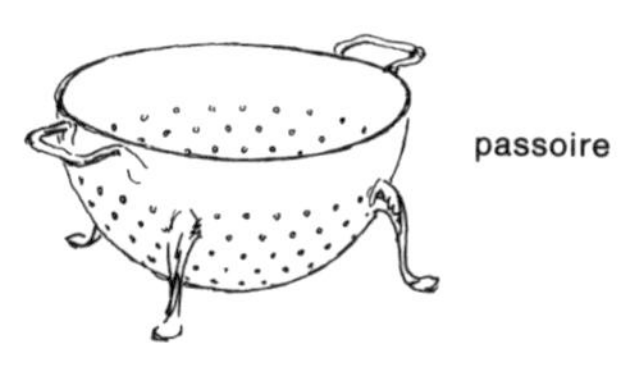

passoire

---

file indienne, se dit quand on marche les uns derrière les autres
se faire, devenir (pop.)
sous-marin, ici : qui résiste à l'eau

– Où ça?

Mon père montra une ligne très fine qu'il gratta du bout de l'ongle. Des petits morceaux se détachèrent; il les brisa entre ses doigts et les examina un instant.

– Ce n'est pas du ciment sous-marin, dit-il. Et d'autre part, la proportion de sable est trop forte.

Bouzigue ouvrit des yeux tout ronds.

– Quoi? dit-il, vous en êtes sûr?

– Absolument. Mon père faisait des bâtiments, et je m'y connais assez bien.

– Ho ho! dit Bouzigue, je vais mettre ça dans mon rapport, et l'*entrepreneur* qui a fait ça va avoir des ennuis!

– Si tu ne répares pas cette fente, dans un mois elle aura quatre doigts de large . . .

– C'est une passoire! cria Paul.

– On va s'en occuper, dit Bouzigue.

Nous traversâmes quatre propriétés immenses.

– Ici, dit Bouzigue en entrant dans la première, c'est le château d'un noble. Il doit être malade, parce qu'on ne le voit jamais.

– Si cet aristocrate nous rencontrait chez lui, dit mon père, ça pourrait lui déplaire. Moi, je n'aime pas beaucoup les nobles.

– C'est un comte, dit Bouzigue, on ne dit pas de mal de lui dans la région.

– C'est peut-être, dit mon père, parce qu'on ne le connaît pas.

– Il a un garde, qui n'est pas jeune. C'est un *géant*. Je l'ai rencontré quelques fois, mais il ne me parle pas. Bonjour, bonsoir, et c'est tout.

---

entrepreneur, celui qui fait certains travaux – surtout des maisons, des ponts, etc.
géant, homme très grand

Nous arrivâmes sans *incident* devant une seconde porte. Bouzigue l'ouvrit, et nous vîmes une fôret vierge.

– Ici, dit-il, c'est le château de *la Belle au bois dormant*. Les volets sont toujours fermés, je n'y ai jamais vu personne. Vous pouvez chanter, vous pouvez crier, il n'y a aucun danger.

Mon frère Paul fut bouleversé par l'idée que la Belle au bois dormait derrière ces volets, et que, grâce à Bouzigue, nous étions les seuls à le savoir.

Il y eut une autre *clôture*, et une autre porte : nous traversâmes les terres d'un troisième château.

– Celui-là, c'est celui du *notaire*, dit-il. Regardez : c'est toujours fermé, sauf au mois d'août. Il n'y a qu'une famille de paysans. Je rencontre souvent le grand-père, c'est lui qui soigne ces beaux arbres. Il n'entend rien, mais il est bien gentil.

Nous ne rencontrâmes personne, puis Bouzigue ouvrit encore une porte : elle était percée dans un mur de pierres *taillées*, qui avait au moins quatre mètres de haut.

– Ce château-là, dit Bouzigue, c'est le plus grand et le plus beau. Mais le propriétaire habite Paris, et il n'y a jamais personne, que le garde . . . Tenez, regardez !

A travers la haie, nous vîmes deux hautes tours de chaque côté de la façade d'un château d'au moins dix étages. Toutes les fenêtres en étaient fermées, sauf quelques *mansardes*, sous le toit.

– Là-haut, dit Bouzigue, c'est l'appartement du gar-

---

incident, événement fâcheux
la Belle au bois dormant, conte de Perrault très connu
clôture, barrière qui sépare deux propriétés
notaire, officier public qui prépare les documents officiels : contrats de mariage, testaments, etc.
tailler, couper pour donner une forme
mansarde, voir page 74

de . . . C'est pour surveiller les voleurs qui viennent ramasser des fruits . . .

– En ce moment, dit mon père, il nous observe peut-être.

– Je ne crois pas. Il regarde surtout de l'autre côté, où sont les arbres fruitiers.

– C'est aussi ton ami?

– Pas exactement. C'est un ancien officier.

– Ils n'ont pas toujours bon caractère.

– Celui-là est comme les autres. Mais il est toujours *ivre*, et il a une jambe *raide*. Si jamais il nous voyait, il serait bien incapable de nous rattraper, même avec son chien!

Ma mère, inquiète, demanda :

– Il a un chien?

– Oui, dit Bouzigue, ce chien est énorme; mais il a au moins vingt ans, il n'a qu'un œil, et il peut à peine bouger. Je vous assure qu'il n'y a aucun danger. Mais pour vous rassurer, je vais aller jeter un coup d'œil. Restez derrière ce buisson!

Nous attendions, groupés comme des moutons. Ma mère

---

ivre, qui a bu trop d'alcool
raide, qui ne peut pas se plier

était pâle; Paul avait cessé de suçer le bonbon qu'il avait dans la bouche. Mon père, le visage tendu en avant, regardait à travers les branches.

Enfin, Bouzigue revint, et dit :

– La voie est libre. Vous pouvez venir! Mais baissez-vous, ajouta-t-il.

Après cette gymnastique, nous arrivâmes au mur de clôture. Bouzigue ouvrit la petite porte, et nous fûmes tout à coup en face du café de La Treille.

– Ce n'est pas possible! dit ma mère, ravie.

– C'est pourtant comme ça, dit Bouzigue. Nous avons coupé toute la *boucle* du chemin!

Mon père sortit de sa poche sa montre d'argent.

– Nous venons de faire en vingt-quatre minutes, un voyage qui nous prend d'habitude deux heures quarante-cinq.

– Je vous l'avais dit! s'écria Bouzigue.

Comme ma mère montra la joie et la surprise de la brièveté du voyage, Bouzigue lui dit avec un grand sourire :

– Eh bien, madame Joseph, vous allez me permettre de vous donner quelque chose.

Avec un clin d'œil, il tira de sa poche la clef d'argent.

– Prenez-la, madame Joseph. Je vous la donne.

– Pour quoi faire? demanda mon père.

– Pour gagner deux heures tous les samedis, et encore deux heures le lundi matin. Prenez-la! J'en ai une autre.

Il nous montra une seconde clef.

– Non, dit mon père, ce n'est pas possible.

Ma mère reposa la clef sur la table du café.

– Et pourquoi? dit Bouzigue.

Mon père lui répondit d'un ton fier :

---

boucle, ici : grande courbe

– J'aurais honte de *m'introduire* en secret chez les autres, et dans un but strictement personnel, pour mon propre intérêt; il me semble que ce ne serait pas digne d'un maître d'école qui enseigne la morale aux enfants . . . Et si celui-ci (il mit la main sur mon épaule), si celui-ci voyait son père se glisser le long des buissons comme un voleur, que penserait-il?

– Je penserais, dis-je, que c'est plus court.

– Et tu as raison, dit Bouzigue.

– Ecoute, papa, dit ma mère, j'en connais beaucoup qui n'hésiteraient pas. Deux heures le samedi soir, et deux heures le lundi matin, ça fait quatre heures de gagnées.

– J'aime mieux marcher quatre heures de plus, et conserver ma propre estime.

– C'est quand même cruel, dit Bouzigue, tristement, de faire marcher ces enfants comme s'ils étaient déjà à l'armée. Et madame Joseph qui n'a pas l'air très solide. Je vous dis que c'est bien dommage, dommage pour tout le monde, et pour moi aussi, parce que je croyais vous rendre service. Et surtout, surtout, c'est bien dommage pour le canal.

– Pour le canal! Que veux-tu dire?

– Comment! s'écria Bouzigue. Mais alors vous ne vous rendez pas compte de l'importance de ce que vous m'avez dit sur le ciment sous-marin?

– C'est vrai, dit ma mère qui prit soudain un air technique. Joseph, tu ne te rends pas compte!

– En somme, dit mon père, pensif, tu supposes que ma collaboration secrète – et gratuite – paierait, en quelque sorte, notre passage?

– Dix fois, cent fois, mille fois! dit Bouzigue.

---

s'introduire, pénétrer

Il y eut un assez long silence.

– Il est évident, dit enfin mon père, que, si je peux rendre service à la *communauté*, même d'une façon un peu irrégulière . . .

Il prit la clef et la regarda un instant. Enfin, il dit :

– Je ne sais pas encore si je m'en servirai . . . Nous verrons ça la semaine prochaine . . .

Mais il mit la clef dans sa poche.

Questions

1. Que pensez-vous de l'idée de Madame Pagnol?

2. Pourquoi le voyage est-il très fatigant?

3. Que pensez-vous de Bouzigue?

4. Pourquoi le père de Marcel ne veut-il pas entrer dans les propriétés?

5. Qu'est-ce qui décide le père à accepter la clef?

---

communauté, ici : l'ensemble des habitants d'un village

10

Le lundi matin, quand nous redescendîmes vers la ville, mon père refusa d'utiliser la clef magique, en disant :

– D'une part, il est plus facile de descendre que de monter, et d'autre part, nous n'avons pas de provisions à porter. Ce n'est pas la peine de prendre un risque ce matin.

Le samedi suivant, à cinq heures, nous étions devant la première porte. Mon père l'ouvrit d'une main ferme : il était en paix avec sa conscience, car il ne franchissait pas ce seuil pour *raccourcir* une route trop longue, mais pour sauver le précieux canal qui autrement serait tombé en ruine.

Cependant, il redoutait les gardes, et c'est pourquoi, m'ayant déchargé de mes paquets, il me confia le rôle d'*éclaireur*.

C'était surtout le garde du dernier château qui était notre terreur, et c'est en tremblant que nous traversâmes ses terres. Par bonheur, il ne se montra pas et, deux heures plus tard, autour de la table ronde, le nom de Bouzigue fut cent fois *béni*.

Il nous était maintenant possible d'aller aux collines tous les samedis, sans trop de fatigue, et notre vie en fut transformée.

Ma mère reprenait des couleurs; Paul grandit d'un seul coup, comme un diable qui sort de sa boîte; moi-même,

---

raccourcir, rendre plus court
éclaireur, celui qui part en avant pour s'assurer qu'il n'y a pas de danger
bénir, ici : louer

je pris du poids, quant à mon père, il chantait tous les matins, en *se rasant*.

Deux événements d'une grande importance marquèrent cette période.

Par un beau samedi du mois de mai, nous traversions – sans le moindre bruit – les terres du «noble». Comme d'habitude, je marchais le premier, mais soudain, je restai *figé*, le cœur battant.

A vingt mètres devant moi, une haute silhouette venait de sortier de la haie et, d'un seul pas, se planta au milieu du sentier.

Mon père passa devant moi. Il tenait son chapeau dans une main, son carnet «d'expert» dans l'autre.

– Bonjour, monsieur, dit-il.

– Bonjour, dit l'inconnu, d'une voix grave. Je vous attendais.

A ce moment, ma mère poussa une sorte de cri étouffé. Je suivis son regard, et ma peur fut augmentée par la découverte d'un garde à boutons dorés, qui était resté dans la haie.

Il était encore plus grand que son maître, et son visage énorme était orné d'une grande moustache rousse.

– Je pense, monsieur, dit mon père, que j'ai l'honneur de parler au propriétaire de ce château?

– Je le suis, en effet, dit l'inconnu. Et, depuis plusieurs semaines, je vois de loin vos manœuvres tous les samedis, malgré les précautions que vous prenez pour vous cacher.

– C'est-à-dire . . . commença mon père, que l'un de mes amis, piqueur du canal . . .

– Je sais, dit le noble. Je ne suis pas venu plus tôt

---

se raser, se couper de très près la barbe
figé, qui ne bouge pas

interrompre votre passage parce qu'une maladie m'a obligé à rester trois mois sur ma chaise-longue. Mais j'ai donné l'ordre d'attacher les chiens le samedi soir et le lundi matin . . .

Je ne compris pas tout de suite. Mon père avala sa *salive*, ma mère fit un pas en avant.

– J'ai fait venir ce matin même le piqueur du canal . . .

– Bouzigue, dit mon père. C'est mon ancien élève, car je suis instituteur, et . . .

– Je sais, dit le vieillard. Ce Bouzigue m'a tout expliqué. La petite maison dans la colline, le tramway trop court, le chemin trop long, les enfants, les paquets . . . Et à ce propos, dit-il en faisant un pas vers ma mère, voilà une petite dame qui me paraît bien chargée.

Il *s'inclina* devant elle, comme un cavalier qui demande l'honneur d'une danse, et ajouta :

– Voulez-vous me permettre?

Sur quoi, il lui prit des mains les deux grands paquets. Puis, se tournant vers le garde :

– Wladimir, dit-il, prends les paquets des enfants.

En un clin d'œil, le géant réunit dans ses mains énormes les sacs, les musettes et une vieille chaise. Puis il nous tourna le dos, et se mit à genoux devant Paul.

– Monte! lui dit-il.

Sans aucune peur, Paul *prit son élan*, sauta, et se trouva sur les épaules du garde qui partit aussitôt au galop.

Ma mère avait les yeux pleins de larmes, et mon père ne pouvait dire un mot.

– Allons, dit le noble, ne vous mettez pas en retard.

---

salive, liquide que l'on a dans la bouche
s'incliner, se baisser – en général pour saluer
prendre son élan, courir avant de faire un saut

– Monsieur, dit enfin mon père, je ne sais comment vous remercier, et je suis ému, vraiment ému . . .

– Je le vois bien, dit le vieillard, et je suis charmé de cette fraîcheur de sentiments . . . Mais, enfin, ce que je vous offre n'est pas bien grand. Vous passez, chez moi, fort modestement, et sans rien détruire. Qu'est-ce que je pourrais avoir contre cela?

Ainsi, il nous accompagna tout le long du sentier en parlant avec mon père. Je marchais devant eux, et je voyais au loin la tête blonde du petit Paul sur les épaules du géant.

Quand nous arrivâmes à la porte de sortie, nous le trouvâmes assis sur nos paquets en train de manger une pomme que le garde *pelait* pour lui.

Il fallut *prendre congé* de nos *bienfaiteurs*. Le comte serra la main de mon père, et lui donna sa carte en disant :

– Au cas où je serais absent, ceci vous servira de laissez-passer pour le *concierge*. Il sera maintenant inutile de suivre les berges : je vous prie de sonner à la *grille* du parc, et de

---

peler, enlever la peau d'un fruit
prendre congé (*de qn*), quitter
bienfaiteur, qui fait le bien
concierge, *m. et f.*, celui ou celle qui garde une maison

traverser la propriété par l'allée centrale. Elle est plus courte que le canal.

Puis, à ma grande surprise, il s'arrêta à deux pas de ma mère, et la salua comme il eût fait pour une reine. Enfin, il s'approcha d'elle, et s'inclinant avec beaucoup de grâce et de dignité, il lui baisa la main.

Elle lui répondit en faisant une *révérence* de petite fille, et elle courut, rougissante, se réfugier derrière mon père. Soudain, Paul s'élançait vers le vieillard et, saisissant la grande main, il la baisa passionnément.

Questions

1. Quelles sont les pensées de Monsieur Pagnol quand il se trouve en face du noble?
2. L'attitude du noble vous surprend-elle?
3. Pourquoi Paul n'a-t-il pas peur?
4. Pourquoi Madame Pagnol a-t-elle les yeux pleins de larmes?
5. Pourquoi Marcel est-il surpris de voir le noble baiser la main de sa mère?

---

révérence, inclination d'une femme pour saluer ou remercier

11

A partir de cette mémorable journée, la traversée du premier château fut notre fête du samedi.

Le concierge nous ouvrait tout grand le portail; Wladimir apparaissait aussitôt, et prenait notre chargement. Nous allions ensuite jusqu'au château pour saluer le noble. Il nous donnait des bonbons, et nous invita plusieurs fois à prendre le thé.

Chaque samedi, en nous raccompagnant à travers ses jardins, il cueillait au passage un bouquet de grandes roses rouges, et au moment de nous quitter, il offrait ces fleurs à ma mère, qui ne pouvait jamais s'empêcher de rougir.

Le château de la «Belle au bois dormant» ne nous avait jamais fait peur. Mon père disait en riant qu'il avait bien envie de s'y installer pour les vacances. Ma mère, cependant, craignait qu'il n'y eût des fantômes.

Quant au troisième château, celui du notaire, il ne nous réservait pas de surprise non plus, car nous n'y rencontrâmes jamais personne.

Mais il restait le château de l'*ivrogne* et du chien malade. Lorsque nous arrivions devant cette porte fermée, nous gardions d'abord le silence. Ensuite, mon père regardait à travers le trou de la serrure, longuement. Puis, il introduisait la clef, et poussait la porte d'une main prudente. Enfin, il entrait. Nous le suivions en silence, et il refermait la porte sans bruit. Le plus dur nous restait à faire.

---

ivrogne, qn qui boit régulièrement beaucoup d'alcool

Pourtant, nous n'avions jamais rencontré personne, mais la pensée du chien malade nous poursuivait.

– J'ai peur, disait ma mère. C'est peut-être stupide, mais j'ai peur.

– Eh bien, disait mon père, si tu continues, moi, je monte jusqu'au château, et je demande tout simplement la permission.

– Non, non, Joseph! Je t'en supplie . . . Ça va me passer. C'est nerveux, mais ça va me passer . . .

Je la regardais, toute pâle, *blottie* contre les roses rouges. Puis elle respirait profondément, et disait avec un sourire :

– Voilà, c'est fini! Allons-y!

On y allait, et tout se passait fort bien.

Le mois de juin fut un mois sans dimanches, car il fallut préparer les examens. Cette période me parut longue comme un tunnel, mais enfin brilla le jour béni entre tous, le premier jour des grandes vacances.

La veille du départ, je fis un grand effort pour dormir, mais il me fut impossible de trouver le sommeil. J'étais sûr que ce serait encore plus beau cette année, parce que j'étais plus vieux et plus fort, et parce que je savais les secrets des collines. Et une grande douceur me baignait à la pensée que mon cher Lili, lui non plus, ne dormait sûrement pas.

Le lendemain, nous partîmes après un déjeuner rapide et, naturellement, chargés comme des ânes.

La longue traversée des propriétés réussit sans difficulté, sinon sans angoisse, et nous arrivâmes devant la dernière porte, la porte magique qui allait s'ouvrir sur les grandes vacances.

---

blotti, refugié

Mon père se tourna vers ma mère, en riant :

– Eh bien, ça s'est bien passé, tu vois, il ne fallait pas avoir peur !

– Ouvre vite, je t'en supplie . . . Vite . . . vite . . .

Il fit tourner la clef dans la serrure, et tira. La porte résista. Il dit soudain d'une voix faible :

– On a mis une *chaîne*, et un *cadenas !*

– Je le savais ! dit ma mère. Tu ne peux pas l'arracher ?

– Mais oui, dis-je, on peut l'arracher !

Mais mon père saisit mon *poignet* et dit à voix basse :

– Malheureux ! ce serait une *effraction !*

– Une effraction ! cria soudain une voix terrible, eh oui, une effraction ! Et ça peut valoir trois mois de prison !

De derrière un buisson, près de la porte, sortit un homme énorme. Il portait un uniforme vert et un *képi*. A sa ceinture était suspendu un étui de cuir noir d'où sortait la *crosse* d'un revolver. Il tenait, au bout d'une chaîne,

---

effraction, action de briser une clôture ou une serrure pour voler
képi, coiffure militaire
crosse, partie du revolver que l'on tient à la main

un chien affreux, celui que nous avions si longtemps redouté.

C'était un monstre à tête de bouledogue. Il avait un œil fermé, tandis que l'autre, énormément ouvert, brillait d'une menace jaune.

Le visage de l'homme était aussi terrible. Son nez était plein de trous, comme une *fraise*.

---

fraise, fruit rouge, avec de petits grains

Ma mère poussa un *gémissement* d'angoisse, et cacha son visage dans les roses tremblantes. La petite sœur se mit à pleurer. Mon père, pâle, ne bougeait pas. Paul se cachait derrière lui, et moi, j'avalais ma salive . . .

L'homme nous regardait sans rien dire.

– Monsieur, dit mon père . . .

– Que faites-vous ici? hurla soudain cette *brute*. Qui vous a permis d'entrer sur les terres de Monsieur le Baron? Vous êtes ses invités, peut-être, ou des members de sa famille?

Il nous regardait tour à tour et, chaque fois qu'il parlait, son ventre soulevait le revolver. Il fit un pas vers mon père.

– Et d'abord, comment vous appelez-vous?

A grand-peine, à cause des paquets, mon père sortit son portefeuille, et tendit sa carte.

La brute la regarda, et s'écria :

– Instituteur public! Ça, *c'est le comble*. Un instituteur qui pénètre en cachette dans la propriété d'un étranger! Un INSTITUTEUR!

Joseph enfin retrouva la parole, et fit un assez long discours pour se défendre. Il parla de la villa, de la santé des enfants, des longues marches qui épuisaient ma mère.

Mais l'autre ne l'écouta point, et dit :

– Et d'abord, qu'est-ce que c'est que cette clef? C'est vous qui l'avez fabriquée?

– Non, dit faiblement mon père.

La brute examina la clef, et s'écria :

– C'est une clef de l'administration! Vous l'avez volée?

---

gémissement, faible plainte
brute, personne mal élevée et brutale
c'est le comble, c'est trop fort

– Vous pensez bien que non.

– Alors?

Il nous regardait d'un sourire ironique. Mon père hésita, puis dit bravement :

– Je l'ai trouvée.

L'autre riait plus fort.

– Vous l'avez trouvée sur la route, et vous avez tout de suite compris qu'elle ouvrait les portes du canal . . . Qui vous l'a donnée?

– Je ne peux pas vous le dire.

– Ha! ha! vous refusez de répondre! J'en prends note, et ça sera sur mon rapport, et la personne qui vous a prêté cette clef n'aura peut-être plus l'occasion de traverser cette propriété.

– Non, dit mon père vivement. Non, vous ne ferez pas ça! Vous n'allez pas briser la situation d'un homme qui, par gentillesse, par pure amitié . . .

– C'est un fonctionnaire qui n'a pas de conscience! hurla le garde. Je l'ai vu dix fois me voler mes figues . . .

– Vous avez dû vous tromper, dit mon père, car je le crois parfaitement honnête!

– Il vous l'a prouvé, riait le garde, en vous donnant la clef d'un service public!

– Il y a une chose que vous ignorez, dit mon père: c'est qu'il l'a fait pour le bien du canal. J'ai certaines connaissances sur les ciments qui me permettent de contribuer à l'entretien de cet ouvrage d'art. Voyez vous-même ce carnet.

Le garde le prit et le regarda.

– Alors, vous prétendez que vous êtes ici comme expert?

– Dans une certaine mesure, dit mon père.

– Et ceux-là, aussi, dit-il en nous montrant, ce sont des

experts? Je n'ai encore jamais vu des experts de cet âge-là. Mais ce que je vois, en tout cas, parce que c'est écrit sur ce carnet, c'est que vous passez sans permission ici tous les samedis depuis six mois! C'est une preuve magnifique!

Il mit le carnet dans sa poche.

– Et maintenant, ouvrez-moi tous ces paquets.

– Non, dit mon père. Ce sont mes affaires personnelles.

– Vous refusez? Faites bien attention.

Mon père réfléchit une seconde, puis il mit bas son sac, et l'ouvrit.

– Si vous aviez maintenu ce refus, je serais allé chercher les gendarmes.

Il nous fit ouvrir les valises, les musettes, et cela dura près d'un quart d'heure. Enfin, après avoir inspecté soigneusement tous nos pauvres trésors, il nous dit :

– Maintenant, vous allez prendre vos paquets, et retourner par où vous êtes venus. Moi je vais faire mon rapport pendant qu'il est encore tout chaud. Allez, viens, Mastoc!

Il tira sur la chaîne et entraîna le monstre.

Le retour fut triste. Il fallut faire l'immense *détour* à travers les propriétés et, pendant cette route, personne ne dit un seul mot.

Lili, dans son impatience, n'avait pu rester à son poste, au pied de La Treille. Il était venu à notre rencontre, et nous le trouvâmes à La Croix.

Il me serra la main, embrassa Paul, puis, tout rougissant

---

détour, chemin plus long que la voie directe

il prit les paquets de ma mère. Il avait un air de fête, mais il parut subitement inquiet, et me demanda à voix basse :

– Qu'est-ce qu'il y a?

Je lui fis signe de se taire, et je *ralentis le pas*, pour nous laisser distancer par mon père qui marchait comme dans un rêve.

Alors, à mi-voix, je lui racontai la tragédie. Il ne parut pas y attacher une si grande importance, mais lorsque j'en arrivai au rapport, il devint pâle et s'arrêta.

– Il a tout écrit sur son carnet?

– Il a dit qu'il allait le faire, et sûrement, il l'a fait.

– Eh ben, dit Lili, triste. Eh ben!

Il se remit en marche, la tête basse. Et de temps à autre, il tournait vers moi un visage désolé.

Comme nous traversions le village, en passant devant la boîte aux lettres, il me dit soudain :

– Si on en parlait au *facteur?* Il doit le connaître, ce garde. Et puis, lui aussi il a un képi.

Dans son esprit, c'était le signe de la puissance, et il pensait qu'entre képis, les choses pouvaient peut-être s'arranger. Il ajouta :

– Moi, je lui en parlerai demain matin.

Nous arrivâmes enfin à La Bastide qui nous attendait dans le crépuscule.

Pendant le dîner, mon père se mit tout à coup à bavarder gaiement. Il nous décrivit la scène en riant, il fit un portrait comique du garde, et Paul fit de grands éclats de rire. Mais je vis bien qu'il se forçait pour nous, et j'avais envie de pleurer.

---

ralentir le pas, marcher plus lentement
facteur, employé de la poste qui apporte les lettres

Questions

1. Pourquoi le garde a-t-il mis chaîne et cadenas à la sortie de la propriété?
2. Quel genre d'homme est le garde?
3. Pourquoi Lili pense-t-il au facteur?
4. Pourquoi Monsieur Pagnol se force-t-il à rire?

12

Le lendemain matin, je ne vis pas mon père : il était en ville. Lili n'arriva que très tard, vers les neuf heures. Il paraissait très inquiet.

– J'ai parlé au facteur, me dit-il à voix basse. Il savait déjà toute l'histoire, parce qu'il venait de voir le garde.

– Et qu'est-ce qu'il lui a dit?

– Il était en train d'écrire le *procès-verbal.*

C'était une terrible nouvelle.

Lili déjeuna avec nous et fut installé à la place de mon père qui ne devait rentrer que vers le soir.

A deux heures, nous partîmes en expédition, accompagnés de Paul. Nous travaillâmes sans arrêt, pendant trois heures, à ramasser des provisions, pour faire face à la ruine prochaine. Nous repartîmes vers six heures, chargés d'amandes, d'escargots et de fruits.

Je me réjouissais d'offrir tout cela à mère, lorsque je vis qu'elle n'était pas seule; elle était assise sur la terrasse, en face de mon père qui avait le visage levé vers le ciel.

Je courus vers lui.

Il paraissait très fatigué, et ses souliers étaient couverts de poussière. Il nous embrassa tendrement, caressa la joue de Lili, et prit la petite sœur sur ses genoux. Ensuite, il parla à ma mère, comme si nous n'étions pas là.

– Je suis allé chez Bouzigue. Il n'y était pas. Je lui ai laissé un mot, pour lui annoncer la catastrophe. Ensuite, je suis allé au château du noble, où j'ai rencontré Wladimir.

---

procès-verbal, rapport établi par un fonctionnaire et constatant une faute

Il m'a dit que notre ami le comte avait été opéré et qu'il était maintenant dans une clinique. Dans quatre ou cinq jours seulement, je pourrai lui parler. Ce sera trop tard.

Il poussa un profond soupir, posa la petite sœur par terre, et baissa la tête. Le petit Paul se mit à pleurer tout haut.

A ce moment, Lili dit à voix basse :

– Qui est-ce qui vient là-bas?

Au bout du chemin, je vis une silhouette qui descendait vers nous à grands pas.

Je criai :

– C'est Monsieur Bouzigue!

Je m'élançai. Lili me suivit.

Nous rencontrâmes le piqueur à mi-chemin. Il souriait. Arrivé devant mes parents, il plongea la main dans sa poche.

– Tenez, dit-il, voilà pour vous!

Il tendit à mon père le carnet noir que le garde avait pris. Ma mère poussa un soupir qui était presque un cri.

– Il vous l'a donné? dit-elle.

– Pas donné! dit Bouzigue. Il l'a échangé contre le procès-verbal que je lui avais fait.

– Et son rapport? demanda mon père d'une voix un peu inquiète.

– Des confettis, dit Bouzigue. Il en avait écrit cinq pages. J'en ai fait une poignée de confettis qui sont partis sur l'eau du canal . . .

Sous le figuier, Bouzigue nous raconta alors sa rencontre avec l'ennemi, pendant que mon père lui servait un verre de vin.

«– Dès que j'ai lu votre mot ce matin, je suis allé chercher Binucci qui est piqueur comme moi. Ensuite, nous sommes allés au château tous les deux. Quand j'ai voulu ouvrir la fameuse porte, j'ai vu qu'il n'avait pas enlevé la chaîne, ni le cadenas! Alors, nous avons fait le tour jusqu'à la grande grille, et j'ai sonné. Au bout de peut-être cinq minutes, le garde est arrivé, furieux.

«– Dites, vous n'êtes pas fou de tirer comme ça sur la cloche? Surtout vous!» me dit-il en ouvrant la porte.

«– Pourquoi moi?

«– Parce que vous êtes responsable d'une affaire grave et j'ai quatre mots à vous dire.

«– Eh bien, vous parlerez après, parce que moi, ce que j'ai à vous dire, c'est juste deux mots : procès-verbal!

«Alors il a ouvert des yeux énormes. Et me voilà parti vers la porte du canal, suivi de Binucci et du garde.

«Pendant que j'arrachais la chaîne, je sortis un carnet, et je dis :

«– Vos nom, prénoms, lieu de naissance.

«Il me dit :

«– Vous n'allez pas faire ça!

«– Mais vous, dit Binucci, pourquoi voulez-vous nous empêcher de passer?

«– Ce n'est pas pour vous», dit le garde.

«Je dis :

«– Bien sûr, ce n'est pas pour lui, mais c'est pour moi! Je sais bien que vous n'aimez pas ma tête! Eh bien, la vôtre ne me plaît pas non plus, et c'est pour ça que je vais vous faire un procès-verbal!

«Si vous aviez vu sa figure. Je continue :

«– Nom, prénoms, lieu de naissance.

«– Mais, je vous jure que ce n'était pas pour vous! C'était pour prendre des gens qui traversent la propriété avec une fausse clef!

«Alors, je prends un air terrible, et je dis :

«– Ho ho! Une fausse clef?

«– Tenez, la voilà!

«Et il la sort de sa poche. Je la prends tout de suite, et je dis à Binucci :

«– Garde ça, nous ferons une *enquête*, parce que c'est une

---

enquête, recherches concernant un crime ou une affaire importante

affaire qui regarde le canal. Et ces gens-là, vous les avez pris?

«– Bien sûr. Tenez, voilà le carnet que j'ai pris à cet individu, voilà mon rapport pour votre administration, et voilà mon procès-verbal!

«Et il me donne votre carnet et deux rapports de plusieurs pages, où il racontait toute l'histoire.

«Je commence à lire, et tout à coup, je lui dis :

«– Malheureux! Pauvre malheureux! Dans un rapport officiel, vous avouez que vous avez mis une chaîne et un cadenas, ce qui empêche de passer les gardes du canal.

«Le garde eut très peur, et il me dit :

«– Alors, qu'est-ce que vous allez faire?

«Je *hoche la tête* plusieurs fois, en me mordant la lèvre. Il attendait, d'un air méchant, mais effrayé. Enfin, je lui dis:

«– Ecoutez : c'est la première fois, mais que ce soit la dernière . . . N'en parlons plus . . . Et vous, surtout n'en dites jamais rien à personne, si vous tenez à garder votre képi.

«Là-dessus, je déchire ses rapports, et je mets le carnet dans ma poche, avec la chaîne et le cadenas. J'ai pensé qu'à la campagne, ce sont des choses qui pourraient vous servir!»

Et il posa tout cela devant nous sur la table.

Nous étions tous au comble de la joie, et Bouzigue accepta de rester avec nous pour le dîner.

A table, il nous dit :

– C'est une histoire oubliée. Mais pourtant, il vaudrait peut-être mieux ne plus passer par là.

– Il n'en est plus question, dit mon père.

---

hocher la tête, secouer la tête de haut en bas ou de droite à gauche

Ma mère, qui était en train de nous servir, dit à voix basse :

– Même si on nous donnait la permission, je n'aurais jamais le courage de revoir cet endroit.

Après le dîner, Lili partit et ma mère l'embrassa : ses oreilles devinrent toutes rouges, et il sortit très vite. Je dus courir après lui pour lui dire que je l'attendais le lendemain matin, dès l'aurore. Il me dit «oui» de la tête, et s'enfuit dans le soir d'été.

Questions

1. Pourquoi les enfants font-ils une expédition pour ramasser des provisions?

2. Que pensez-vous de la façon dont Bouzigue a arrangé la situation?

3. Le garde est-il vraiment courageux?

4. Pourquoi, même avec une permission, Madame Pagnol ne veut-elle plus venir dans cet endroit?

13

Le temps passe.

Cinq ans plus tard, je marchais derrière une voiture noire, vêtu de noir, la main du petit Paul serrant la mienne de toutes ses forces. On emportait notre mère pour toujours.

De cette terrible journée, je n'ai pas d'autre souvenir, comme si mes quinze ans avaient refusé d'admettre la force d'un chagrin qui pouvait me tuer. Pendant des années, jusqu'à l'âge d'homme, nous n'avons jamais eu le courage de parler d'elle.

Encore dix ans, et je fondai à Marseille une société de film. J'eus alors l'ambition de construire, sous le ciel de Provence, une «Cité du Cinéma». J'achetai un domaine sans l'avoir vu.

Huit jours plus tard, mes amis et moi, nous franchîmes une très haute grille. Au fond d'une allée de vieux platanes, se dressait un château.

Nous descendîmes vers les *prairies*, où j'avais l'intention de construire les studios. Lorsque je vis au loin, en haut d'un *remblai*, une haie fleurie, mon souffle s'arrêta, et je m'élançai dans une course folle à travers la prairie et le temps.

Oui, c'était là. C'était bien le canal de mon enfance, avec ses arbres et ses fleurs. Tout le long du sentier, l'eau coulait sans bruit, et je refis lentement le chemin des vacances, et de chères ombres marchaient près de moi.

C'est quand je le vis à travers la haie, au-dessus des

---

prairie, grand terrain couvert d'herbe
remblai, masse de terre rapportée pour élever un terrain

platanes lointains que je reconnus l'affreux château, celui de la peur, de la peur de ma mère.

J'espérai, pendant deux secondes, que j'allais rencontrer le garde et le chien. Mais vingt ans avaient dévoré ma *vengeance*, car les méchants meurent aussi.

Au pied du mur, tout près du canal, il y avait l'horrible porte noire, celle qui n'avait pas voulu s'ouvrir sur les vacances, la porte du «père *humilié*».

Dans un élan de rage aveugle, je pris à deux mains une très grosse pierre, et la lançai vers les planches *pourries* qui *s'effondrèrent* sur le passé.

Il me sembla que je respirais mieux.

Mais de l'autre côté du temps, il y avait depuis des années une très jeune femme brune qui serrait toujours sur son cœur faible les roses rouges du noble. Elle entendait les cris du garde, et le souffle du chien. *Blême*, tremblante, et pour jamais inconsolable, elle ne savait pas qu'elle était chez son fils.

Questions

1. Que pensez-vous de cette colère d'adulte qui voudrait venger un désespoir d'enfant?

2. Pourquoi la fin du livre est-elle si émouvante?

---

vengeance, le fait de punir qn qui vous a fait du mal
humilier, blesser l'orgueil de qn
pourrir, ici : user par l'humidité
s'effondrer, tomber en ruine
blême, très pâle à cause de la maladie ou de la peur